DVD&CDでマスター

英語の発音が正しくなる本

鷲見由理 著

ナツメ社

はじめに

　本書は初めて英語を学ぶ方から発音を上達させたい方まで、幅広い読者・視聴者に使用していただけるように、DVDに収録された入門編とCDに収録された基礎編で構成されています。

入門編 & DVD

　入門編では正しい英語の発音を練習します。英語で話をする時、自分の意思を相手にはっきりと伝えるためには、正確に発音することがとても大切です。しかし、英語の発音は日本語の発音と異なっているので、日本人が英語を正しく発音するのは難しいと言われています。なぜならば、日本語の母音は「ア、イ、ウ、エ、オ」の5音ですが、英語にはもっと多くの母音があり、また日本語にはない[θ]や[ð]などの子音があるからです。これらの音の違いを習得する際の手助けになるのが発音記号です。発音記号を使って英語の26の母音と24の子音を練習すれば、正しい発音を効果的にマスターすることができます。

　入門編とDVDには、発音記号で表された英語の発音・発音の仕方・中学基本語をベースにした単語の発音練習・まちがえやすい発音が収録されています。

　本のイラスト・写真やDVDの口元アップの映像を見ながら出演者の発音をよく聞いて、くり返し練習しましょう。

基礎編 & CD

　基礎編では次の3項目を扱い、英語の発音が総合的・効率的に学べるように構成されています。

　　① 発音記号を使って英語の発音を学ぶ。
　　② 発音とつづり字のルールを知る。
　　③ 単語の発音問題に答える。

① 発音記号による英語の発音

　英語の発音の仕方・発音記号の読み方・単語の発音・発音の比較・例文の発音練習などが収録されています。基礎編には中学レベルの単語と高校レベル以上の単語が載っているので、豊富な単語で発音練習をすることができます。発音記号の読み方も習得しましょう。読み方がわかれば、発音記号で表された英語の教科書や辞典の単語が発音できるようになります。

② 発音とつづり字
　英語の発音とつづり字の関係は不規則のように見えますが、基本的なルールがあります。それらを知れば、発音とつづり字の関係が理解できるようになり、単語を覚えたり、知らない単語を読まなければならない時や単語の発音問題に答える時に役立ちます。本書では、発音とつづり字のルールが、基礎・発展の項目に分けて書かれています。例外などについては、Notesで解説されています。英語の発音問題には、例外が出題されることもありますので、例外も覚えましょう。つづり字と発音の関係についても解説されていますので、参考にしてください。

③ 単語の発音問題
　単語の発音や発音とつづり字のルールを習得したら、練習問題をやってみましょう。

　基礎編とCDには、発音記号による英語の発音・発音とつづり字・単語の発音問題が収録されています。ナレーターの発音をよく聞き、はっきりとした大きな声でまねをしてくり返し発音しましょう。正しい発音を注意深く聞き、マスターするとリスニングの基礎力も身につきます。

　本書・DVD・CDが読者・視聴者の発音習得への道案内になることを心から願っております。

　「DVD＆CDでマスター 英語の発音が正しくなる本」の制作にあたり、多くの方々に協力していただきました。ここに深く感謝いたします。

松本亨先生・立花桂先生・Dr. Robert Lado・Dr. Deborah Tannen
Dr. Deana Logan・Daniel Jones・Willie Hines・Olive Freeman・Ann Charlotte
Ruth Ann Morizumi・Soness Stevens・Chris Wells・Monica Horgan
Richard Cowell・Courtney McMichael・Katharine McDonald
ナツメ出版企画の甲斐健一さん、斉藤正幸さん、澤幡明子さん
文研ユニオンの皆川喜美子さん・中録サービスの佐藤礼吏さん・久保公さん
上田三根子さん・内藤しなこさん・中野サトミさん

鷲見由理

CONTENTS

Let's study correct English pronunciation with your book, CDs, and DVD.

はじめに	2
本書の使い方	8
DVDの使い方	12
CDの使い方	13
英語の発音の学び方	14
母音・子音	14
有声音・無声音	15
発音記号	16
アクセント	17
発音記号表	18
音声器官	20

入門編 ● 本とDVDで正しい発音を身につけよう

母音の発音を練習しよう	22	母音13 [e]	30
母音1 [æ]	23	母音14 [ɔ:]	31
母音2 [ʌ]	23	母音15 [ɔ:r]	31
母音3 [ɑ]	24	母音16 [ai]	32
母音4 [ɑ:]	24	母音17 [aiər]	32
母音5 [ɑ:r]	25	母音18 [au]	33
母音6 [ə:r]	25	母音19 [auər]	33
母音7 [ə]	26	母音20 [ei]	34
母音8 [ər]	26	母音21 [ɔi]	34
「ア」に似た音のまとめ	27	母音22 [ou]	35
母音9 [i]	28	母音23 [ju:]	35
母音10 [i:]	28	母音24 [iər]	36
母音11 [u]	29	母音25 [uər]	36
母音12 [u:]	29	母音26 [eər]	37

まちがえやすい母音の発音	38	9 [i:] ― [i]	41
まちがえやすい母音の発音を比べてみましょう		10 [u] ― [u:]	41
1 [æ] ― [e]	39	11 [ɔ:] ― [ʌ]	41
2 [ʌ] ― [æ]	39	12 [ɑ:r] ― [ɔ:r]	41
3 [ʌ] ― [ɑ]	39	13 [ə:r] ― [ɔ:r]	42
4 [æ] ― [ɑ]	39	14 [i] ― [ai]	42
5 [ɑ] ― [ɑ:r]	40	15 [ai] ― [au]	42
6 [ə:r] ― [ɑ:r]	40	16 [e] ― [ei]	42
7 [i] ― [ʌ]	40	17 [ɔi] ― [ei]	43
8 [i] ― [e]	40	18 [ou] ― [ɔ:]	43

子音の発音を練習しよう ………… 44	子音12 [f] …………………… 51
子音1 [l] …………………… 45	子音13 [v] …………………… 51
子音2 [r] …………………… 45	子音14 [h] …………………… 52
子音3 [p] …………………… 46	子音15 [s] …………………… 53
子音4 [b] …………………… 46	子音16 [z] …………………… 53
子音5 [t] …………………… 47	子音17 [θ] …………………… 54
子音6 [d] …………………… 47	子音18 [ð] …………………… 54
子音7 [k] …………………… 48	子音19 [ʃ] …………………… 55
子音8 [g] …………………… 48	子音20 [ʒ] …………………… 55
子音9 [m] …………………… 49	子音21 [tʃ] …………………… 56
子音10 [n] …………………… 49	子音22 [dʒ] ………………… 56
子音11 [ŋ] …………………… 50	子音23 [j] …………………… 57
鼻音 …………………………………… 50	子音24 [w] …………………… 57

まちがえやすい子音の発音 …… 58	9 [h] － [f] ………… 61
まちがえやすい子音の発音を比べてみましょう	10 [s] － [θ] ………… 61
1 [l] － [r] ………… 59	11 [θ] － [ð] ………… 61
2 [p] － [b] ………… 59	12 [s] － [ʃ] ………… 61
3 [t] － [d] ………… 59	13 [ʃ] － [tʃ] ………… 62
4 [k] － [g] ………… 59	14 [tʃ] － [dʒ] ………… 62
5 [m] － [n] ………… 60	15 単語の初めに [j] を加えた発音 …………… 62
6 [g] － [ŋ] ………… 60	16 単語の初めに [w] を加えた発音 …………… 62
7 [f] － [v] ………… 60	
8 [b] － [v] ………… 60	

 **基礎編** 本とCDで正しい発音を身につけよう

母音　VOWELS

1. ［ æ ］の発音 …………… 64
2. ［ ʌ ］の発音 …………… 68
3. ［ ɑ ］の発音 …………… 72
4. ［ ɑː ］の発音 …………… 76
5. ［ ɑːr ］の発音 …………… 78
6. ［ əːr ］の発音 …………… 81
7. ［ ə ］の発音 …………… 84
8. ［ ər ］の発音 …………… 86
9. ［ i ］の発音 …………… 88
10. ［ iː ］の発音 …………… 92
11. ［ u ］の発音 …………… 96
12. ［ uː ］の発音 …………… 98
13. ［ e ］の発音 …………… 102
14. ［ ɔː ］の発音 …………… 106
15. ［ ɔːr ］の発音 …………… 110
16. ［ ai ］の発音 …………… 114
17. ［ aiər ］の発音 …………… 118
18. ［ au ］の発音 …………… 120
19. ［ auər ］の発音 …………… 123
20. ［ ei ］の発音 …………… 126
21. ［ ɔi ］の発音 …………… 130
22. ［ ou ］の発音 …………… 132
23. ［ juː ］の発音 …………… 136
24. ［ iər ］の発音 …………… 140
25. ［ uər ］の発音 …………… 143
26. ［ eər ］の発音 …………… 145

母音字の発音の基礎 …………… 148

子音　CONSONANTS

1. ［ l ］の発音 …………… 150
2. ［ r ］の発音 …………… 152
3. ［ p ］の発音 …………… 154
4. ［ b ］の発音 …………… 156
5. ［ t ］の発音 …………… 158
6. ［ d ］の発音 …………… 160
7. ［ k ］の発音 …………… 162
8. ［ g ］の発音 …………… 166
9. ［ m ］の発音 …………… 170
10. ［ n ］の発音 …………… 172
11. ［ ŋ ］の発音 …………… 174
12. ［ f ］の発音 …………… 176
13. ［ v ］の発音 …………… 180
14. ［ h ］の発音 …………… 182
15. ［ s ］の発音 …………… 184
16. ［ z ］の発音 …………… 187
17. ［ θ ］の発音 …………… 190
18. ［ ð ］の発音 …………… 192
19. ［ ʃ ］の発音 …………… 195
20. ［ ʒ ］の発音 …………… 198
21. ［ tʃ ］の発音 …………… 201
22. ［ dʒ ］の発音 …………… 204
23. ［ j ］の発音 …………… 208
24. ［ w ］の発音 …………… 211

黙字の表 …………… 214
表紙の会話 …………… 215

本書の使い方

入門編

中学基本語をベースに収録

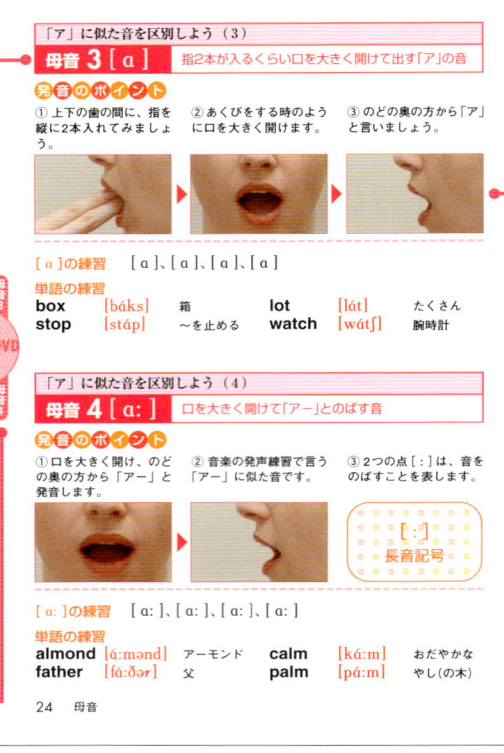

それぞれの発音の特徴が、簡潔に述べられています。

DVDのメニューの中で、どの項目に収録されているかを示しています。

発音する時の口の形や舌の位置などを、連続写真やイラストを使って解説しています。

まちがえやすい発音を、イラストを使って練習します。

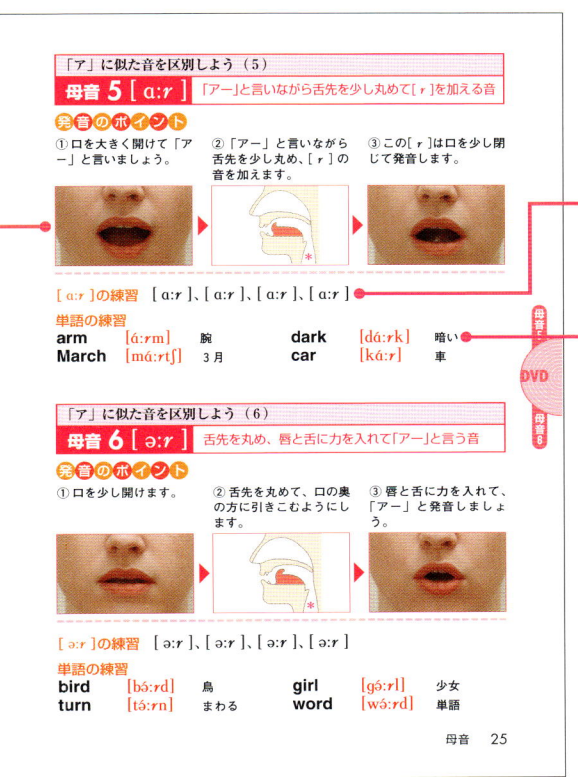

母音（子音）の発音をくり返し練習します。

学習している音が含まれている単語を紹介しています。

発音が似ている母音（子音）の違いを練習します。

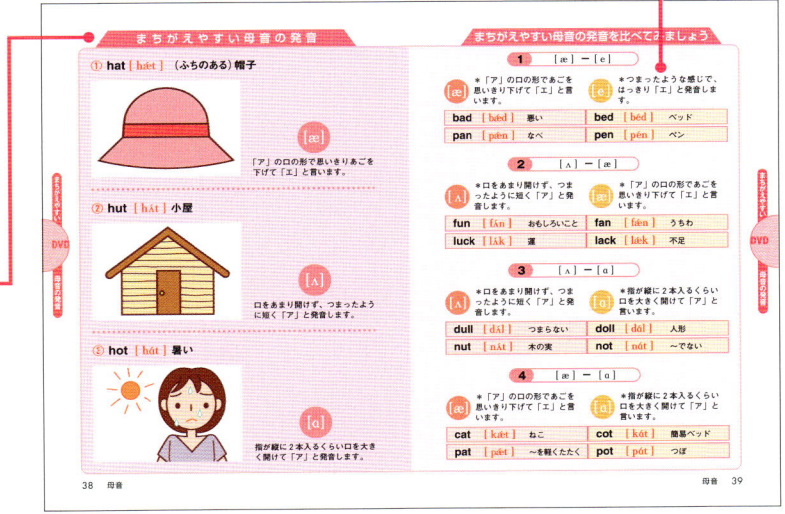

本書の使い方

基礎編

中学レベルと高校レベル以上の単語を収録

10 [i:] の発音

[i:]、[i:]、[i:]、[i:] east [i:st] 東
唇を左右に引き
「イー」と言ってみよう

[i:] の発音を練習しましょう。

日本語の「イー」を言う時よりも唇を左右に引き、舌に力を入れて「イー」とはっきり発音しましょう。日本語の「イー」に近い音です。

CD 1 Track 20

CD を聞きながら単語の発音練習をしましょう。

〈[i:]で始まる語〉
① each [i:tʃ] それぞれの　② easy [í:zi] やさしい
③ eel [i:l] うなぎ　④ evening [í:vniŋ] 夕方

〈[i:]が中間にある語〉
⑤ beef [bi:f] 牛肉　⑥ dream [dri:m] 夢
⑦ Japanese [dʒæpəní:z] 日本人　⑧ leave [li:v] ～を去る
⑨ need [ni:d] 十練習　⑩ people [pí:pl] 人々
⑪ speak [spi:k] 話す　⑫ week [wi:k] 週

〈[i:]で終わる語〉
⑬ agree [əgrí:] 賛成する　⑭ bee [bi:] みつばち
⑮ knee [ni:] ひざ　⑯ tree [tri:] 木

92　母音

このイラストは、発音する時の口の形や舌の位置などを側面から見たものです。
自分で発音してみる際のイメージトレーニングにお役立てください。

発音する時の口の形や舌の使い方などをわかりやすい文章で解説しています。

「発音とつづり字」には、発音とつづり字のルールと単語例が載っています。

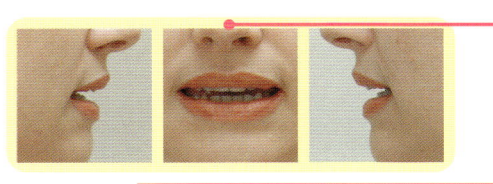

発音した時の口の形などを正面と左右から撮影した写真です。

P [iː]と[i]の発音を比べてみましょう。

[iː]は唇を左右に引いて、はっきり「イー」と言います。[i]は日本語の「エ」の口の形で短く「イ」と発音します。

類似した音を区別して発音するためのアドバイスと単語が載っています。

	[iː]			[i]	
⑰ eat	[iːt]	〜を食べる	it	[it]	それは
⑱ feel	[fiːl]	〜を感じる	fill	[fil]	〜を満たす
⑲ meet	[miːt]	〜に会う	mitt	[mit]	ミット
⑳ reach	[riːtʃ]	〜に着く	rich	[ritʃ]	金持ちの
㉑ seat	[siːt]	席	sit	[sit]	すわる
㉒ sleep	[sliːp]	眠る	slip	[slip]	すべる

CD 1 Track 20

CDの下の数字は1枚目か2枚目かを、Trackの下の数字はトラック番号を示しています。

[iː] の言葉遊びをしましょう。

㉓ **Teach** me.
　私に教えて。
㉔ **Please teach me.**
　私に教えてください。
㉕ **Please teach me** how to **feed beetles.**
　私にかぶと虫のえさのやり方を教えてください。

例文の中で学習している音が含まれている単語は、赤で書かれています。

[iː]の発音　93

[iː] の発音とつづり字

発展1 [iː]はふつう e とつづります。

〈eと書いて[iː]と発音する語〉
① equal [íːkwəl] 等しい　④ legal [líːɡəl] 法律の
② me [míː] 私を　⑤ region [ríːdʒən] 地方
③ senior [síːnjər] 年上の　⑥ we [wíː] 私たちは

○単語が〈e＋子音字1つ＋e〉で終わる場合、前の方の e を[iː]と発音することがよくあります。
(e＋子音字1つ＋e)
⑦ eve [íːv] (祭日などの)前夜　⑨ scene [síːn] (劇などの)場面
⑧ theme [θíːm] 主題　⑩ these [ðíːz] これら

例外 college [kálidʒ] カレッジ(大学)、where [(h)wéər] (フ)ウェア] (どこに)など

発展2 [iː] は ea、ee ともつづります。

〈eaと書いて[iː]と発音する語〉
⑪ beach [bíːtʃ] 浜　⑬ clean [klíːn] 清潔な
⑫ leaf [líːf] 葉　⑭ meat [míːt] 肉
⑬ peak [píːk] 山頂　⑮ team [tíːm] チーム

〈eeと書いて[iː]と発音する語〉
⑰ cheek [tʃíːk] ほお　⑲ deep [díːp] 深い
⑱ green [ɡríːn] 緑色の　⑳ speed [spíːd] 速さ

発展 [iː] を ie、ei、i とつづることがあります。

〈ieと書いて[iː]と発音する語〉
㉑ believe [bilíːv] 〜を信じる　㉓ brief [bríːf] 短時間の
㉒ field [fíːld] 畑　㉔ niece [níːs] めい

〈eiと書いて[iː]と発音する語〉
㉕ ceiling [síːliŋ] 天井　㉗ perceive [pərsíːv] 〜に気づく
㉖ receipt [risíːt] 領収証　㉘ receive [risíːv] 〜を受け取る

〈iと書いて[iː]と発音する語〉
㉙ machine [məʃíːn] 機械　㉚ ski [skíː] スキー(の板)

Note! ①people [píːpl] ピープル (人々)の eo、key [kíː] キー (かぎ)の ey は例外的に[iː]と発音します。

②[iː]には ea、ee とつづるので、sea(海)と see(〜が見える)が同じ発音、[síː] スィーになります。

練習問題

各組の単語の下線部の発音が同じなら○、違うなら×と答えてください。

㉛ please / need	㉜ Japanese / speak	㉝ ski / hill
㉞ evening / easy	㉟ people / leave	㊱ machine / drink

答え (31)○ (32)○ (33)× (34)○ (35)○ (36)×

DVDの使い方

DVDには本書の入門編が収録されています。DVDをプレーヤー（またはパソコン）に入れると、メインメニューが表示されます。

メインメニュー

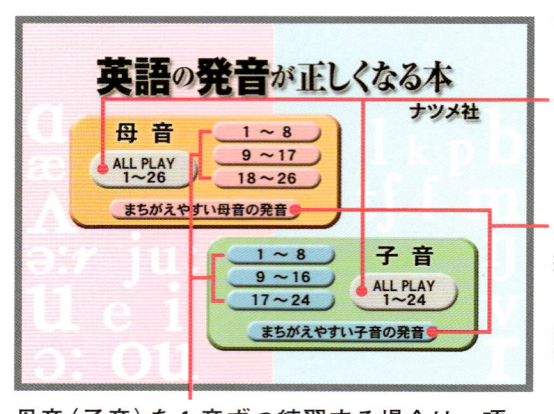

メインメニューは、「母音」と「子音」の2つに分かれています。

母音・子音それぞれを最初から最後まで通して見る場合は、ALL PLAYを選びます。

まちがえやすい母音（子音）の発音を練習する場合は、ここを選びます。

↓

映像がすぐに再生されます。

母音（子音）を1音ずつ練習する場合は、項目の番号が入っているボタンを選びます。

→ **サブメニューへと移ります。**

サブメニュー

サブメニューは、母音・子音それぞれ3画面ずつあります。

そのサブメニュー内のすべての項目の映像が、連続再生されます。

選んだ項目の映像だけが再生され、終わると元のサブメニューに戻ります。同じ発音をくり返し練習する場合に活用しましょう。

メインメニューに戻ります。

ほかのサブメニューに移ることができます。

● 出演者　ルース・アン・森住／ソネス・スティーブンス

DVDを使う前にお読みください

【再生時のご注意】
●本DVDは、DVD再生プレーヤーもしくはDVDが再生できるパソコンでご覧になれます。
●パソコンでDVD−VIDEOを再生するには、少なくとも以下の条件を満たしたパソコンとDVD−VIDEO再生ソフトウェアが必要です。
※最低必要動作条件（パソコン）
・DVD−VIDEOが再生できるDVD−ROMドライブ搭載パソコン
・Pentium Ⅱ400MHz以上（Windows）、PowerPC G3以上（Mac OS）のCPU
※OSに、別途DVD−VIDEO再生ソフトウェアが必要です。
●一般のDVD−VIDEO再生プレーヤーでは、そのままご覧になれます。詳しい操作方法については、ご利用のプレーヤーの取扱説明書をご確認ください。
●このディスクはコピーガード処理をしてあります。
【健康上の注意】
●本DVDをご覧いただく際には、部屋を明るくし、テレビ画面に近づきすぎないようにしてください。
●長時間続けてのご鑑賞は避け、適度に休息を取ってください。

【取り扱い上のご注意】
●ディスクには両面とも、指紋や汚れ、キズなどをつけないようにしてください。
●ディスクには両面とも、鉛筆やボールペン、油性ペンなどで文字や絵を書いたり、シールなどを貼らないでください。
●ディスクが汚れたときは、メガネ拭きのような柔らかい布で内周から外周に向けて放射状に軽く拭き取ってください。
●ひび割れや変形、または接着剤などで補修したディスクは、危険なので絶対に使用しないでください。
【保管上のご注意】
●直射日光の当たる場所や高温・多湿の場所には保管しないでください。
●ご使用後、ディスクは必ずケースの中に入れて保管してください。
●本DVD及び本書は著作権上の保護を受けております。DVDあるいは本書の一部、または全部について、権利者に無断で複写、複製、放送、インターネットによる配信、公の上映、レンタル（有償、無償を問わず）することは法律により禁じられております。

   片面・1層

※横縦比が16:9のテレビで視聴する場合、画面の上下が切れたり、見えにくくなったりすることがあります。

CDの使い方

CD1・CD2には本書の基礎編が収録されています。
CD1 ● 母音 1 〜 母音23
CD2 ● 母音24 〜 母音26
　　　● 子音 1 〜 子音24

基礎編の各ページに、左のようなCD番号とトラック番号が載っています。CDを聞き直す場合は、その番号の表示をご利用ください。

● ナレーター　モニカ・ホーガン／クリス・ウェルズ／矢嶋美保

英語の発音の学び方

　本書に付いているDVDとCDには、アメリカでNetwork English（放送網英語）として使われている一般的なアメリカ英語の発音が録音されています。本・DVD・CDを使って次のように英語の発音を練習することをお勧めします。

1）本の解説・写真・イラストで、発音をする際の口の形や舌の使い方等を学ぶ。
2）DVDの映像と音声で正しい発音と発音の仕方を学び、ナレーターの後について発音の練習をする。
3）本の写真・イラストやDVDの映像を見ながら、手鏡を使って口の形や舌の使い方等を練習する。
4）DVDやCDに録音された正しい発音を何度もくり返して聞く。
5）大きな声を出してまねをして発音する。
6）自分の発音を録音する。
7）DVD・CDの発音と自分の発音を比べてみる。
8）DVD・CDの発音と自分の発音が違っていたら、DVDやCDを聞き直し、くり返し練習する。

母音・子音

　本書では50の発音を扱っていますが、これらは母音と子音とに分けられます。

■ 母音
　日本語の「ア、イ、ウ、エ、オ」のように、声が舌、歯、唇などにじゃまされないで出る音を母音と呼びます。本・DVD・CDで26の母音を学びましょう。

■ 子音
　息や声が舌、歯、唇などにじゃまされて出る音を子音と呼びます。本・DVD・CDで24の子音を学びましょう。

有声音・無声音

　のどに声帯という発声器官があります。声帯が振動して声になって出る音を有声音と言い、振動しないで息だけで出る音を無声音と呼びます。

　のどに手をあてて[b]（ブッ）と言うと、手に声帯の振動が伝わってきます。このように、振動が伝わってくる場合は有声音です。次に、[p]（プッ）と息を出してみましょう。[p]の場合は手に振動が感じられないので、無声音であることがわかります。

★ 母音はみな有声音です。

　　　　　　　[æ]、[ʌ]、[ɑ]、[ɑ:]、[ɑ:r]、[ə:r]、[ə]、[ər]、[i]、[i:]、
　　　　　　　[u]、[u:]、[e]、[ɔ:]、[ɔ:r]、[ai]、[aiər]、[au]、[auər]、
　　　　　　　[ei]、[ɔi]、[ou]、[ju:]、[iər]、[uər]、[eər]

★ 子音には無声音と有声音があります。

　子音の無声音　[p]、[t]、[k]、[f]、[s]、[θ]、[ʃ]、[tʃ]、[h]

　子音の有声音　[b]、[d]、[g]、[v]、[z]、[ð]、[ʒ]、[dʒ]、[l]、[r]、[m]、
　　　　　　　　[n]、[ŋ]、[j]、[w]

★下の図の「＊」は有声音、そして無印は無声音を表しています。

　　　　　有声音　　　　　　　　　　無声音

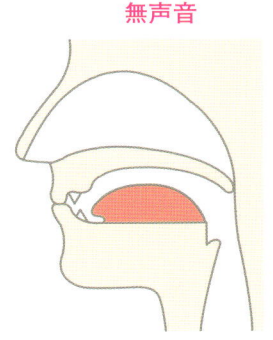

発音記号

この本で扱っている発音記号はInternational Phonetic Alphabet（国際音標文字）に基づく記号で、日本の英和辞典や英語の教科書でよく使用されているものです。

grandfather[grǽn(d)fɑ̀:ðɚr]（祖父）を例にあげて、発音記号について説明します。

1）上の例のように、発音記号は[　]の中に入っています。

2）[grǽn(d)fɑ̀:ðɚr]では、dが（ ）で囲まれていますが、これはdを取って[grǽnfɑ̀:ðɚr]のように発音する場合があることを表しています。

3）[ɑ:]の2つの点[:]は、音をのばすことを示し、長音記号と呼ばれています。

4）[r]がイタリック体（斜字体）で書かれているのは、[r]を発音しない場合があることを示しています。一般的なアメリカ発音では[r]をひびかせますが、イギリス発音では[r]をひびかせないことがあります。

■ 発音問題のポイント
本書の練習問題に正しく答えるために、次の単語に注意しましょう。

1）つづり字が同じで異なる発音をする単語
　　　thank　[θ]　　～に感謝する
　　　they　　[ð]　　彼らは

2）つづり字が異なっていて同じ発音をする単語
　　　bird　　[ə:r]　鳥
　　　word　　[ə:r]　単語

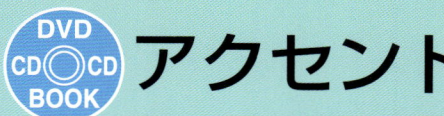
アクセント

アクセントとは単語の中で強く発音する部分のことです。[´]を第1アクセントと呼び、その記号が付いている部分を最も強く発音します。[`]は第2アクセントで、次に強く発音します。

1) egg（卵）のように母音が1つだけの単語は、英和辞典や英語の教科書によって発音記号に第1アクセントが付いている場合と付いていない場合があります。どちらの場合でも、母音の部分を強く発音します。

   egg [ég]   egg [eg]

2) gui-tar[gitá:r]（ギター）のように音節が2つある単語の場合、強く発音する方の音節の母音にアクセント記号が付いていますので、その部分を強く発音しましょう。

3) birthday[bá:rθdèi]（誕生日）のように第1アクセントと第2アクセントの両方がある語の場合は、第1アクセントのある方を強く発音し、第2アクセントの方をそれよりやや弱く発音します。

4) backyard[bǽkjá:rd]（裏庭）のように第1アクセントが2つある場合は、アクセントの付いている部分を同じ強さで発音します。

5) 同じつづりの語でもアクセントの位置によって品詞が異なる語がありますので、アクセントのある部分を強くはっきりと発音しましょう。

  import [ímpɔ:rt]（名詞）輸入
  import [impɔ́:rt]（動詞）〜を輸入する

発音記号表

母 音

記号	例	記号	例
[æ]	apple [ǽpl] りんご	[ɔ:]	call [kɔ́:l] ～を呼ぶ
[ʌ]	cup [kʌ́p] カップ	[ɔ:r]	door [dɔ́:r] ドア
[ɑ]	box [bɑ́ks] 箱	[ai]	time [táim] 時
[ɑ:]	father [fɑ́:ðər] 父	[aiər]	fire [fáiər] 火
[ɑ:r]	car [kɑ́:r] 車	[au]	now [náu] 今
[ə:r]	girl [gə́:rl] 少女	[auər]	flower [fláuər] 花
[ə]	about [əbáut] ～について	[ei]	play [pléi] 遊ぶ
[ər]	winter [wíntər] 冬	[ɔi]	boy [bɔ́i] 少年
[i]	it [ít] それは	[ou]	go [góu] 行く
[i:]	meet [mí:t] ～に会う	[ju:]	use [jú:z] ～を使う
[u]	book [búk] 本	[iər]	near [níər] ～の近くに
[u:]	soon [sú:n] すぐに	[uər]	sure [ʃúər] 確かな
[e]	tennis [ténis] テニス	[eər]	chair [tʃéər] いす

子　音

記号	例	記号	例
[l]	lunch　[lʌ́ntʃ]　昼食	[v]	very　[véri]　非常に
[r]	room　[rúːm]　部屋	[h]	home　[hóum]　家庭
[p]	pencil　[pénsl]　鉛筆	[s]	sell　[sél]　〜を売る
[b]	bus　[bʌ́s]　バス	[z]	zoo　[zúː]　動物園
[t]	teach　[tíːtʃ]　〜を教える	[θ]	third　[θə́ːrd]　第3の
[d]	desk　[désk]　机	[ð]	this　[ðís]　これ
[k]	kind　[káind]　親切な	[ʃ]	she　[ʃíː]　彼女は
[g]	glad　[glǽd]　うれしい	[ʒ]	usually [júːʒuəli]　いつもは
[m]	make　[méik]　〜を作る	[tʃ]	child　[tʃáild]　子ども
[n]	nice　[náis]　すてきな	[dʒ]	just　[dʒʌ́st]　ちょうど
[ŋ]	among　[əmʌ́ŋ]　〜の中に	[j]	year　[jíər]　年
[f]	food　[fúːd]　食物	[w]	week　[wíːk]　週

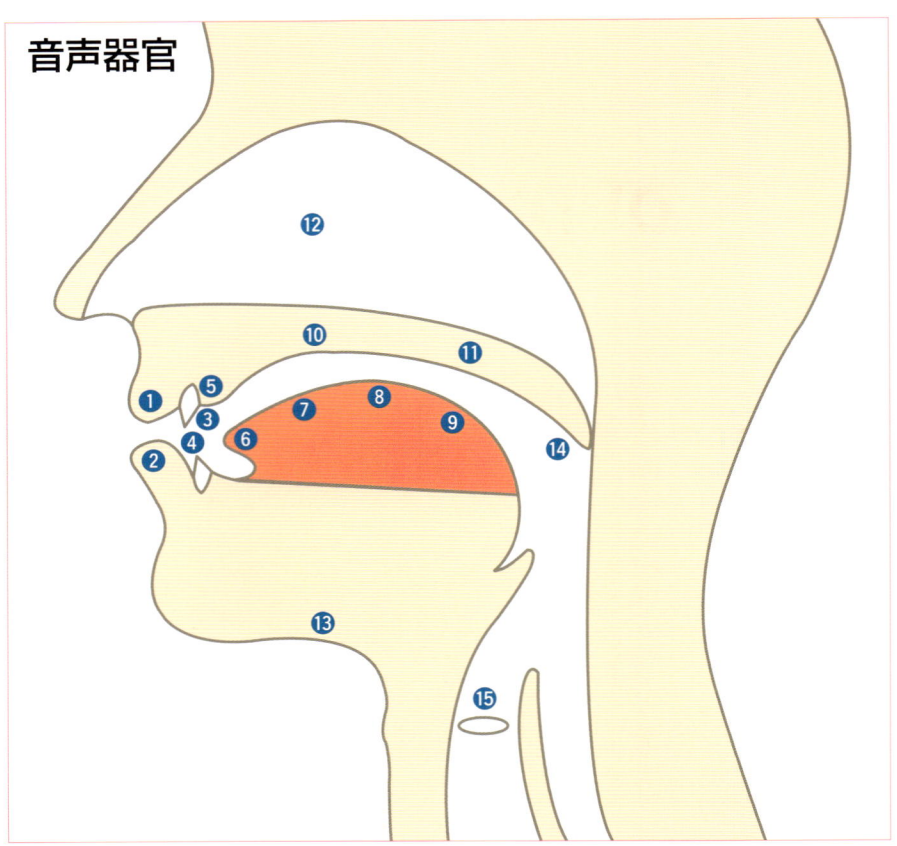

❶ 上唇
❷ 下唇
❸ 上歯
❹ 下歯
❺ 歯茎
❻ 舌の先
❼ 前舌（ぜんぜつ）
❽ 中舌（ちゅうぜつ）
❾ 後舌（こうぜつ）
❿ 硬口蓋（こうこうがい）
⓫ 軟口蓋（なんこうがい）
⓬ 鼻腔（びこう）
⓭ あご
⓮ のどびこ
⓯ 声帯

入門編

本とDVDで正しい発音を身につけよう

入門編

母音の発音を練習しよう

声が舌、歯、唇などにじゃまされないで出る音を母音と呼びます。日本語の母音は、「ア、イ、ウ、エ、オ」の5音です。英語には日本語よりずっと多くの母音があり、本書では26の母音を扱っています。

英語の発音の仕方がよくわからないと、日本語の音を使って英語の発音をしてしまいます。母音の場合、5音で26の音を出さなければならないので、英語の発音は難しいとか、発音の仕方がよくわからないと感じるのです。

どのようにしたら英語の発音を効果的に学べるでしょうか。「ア」に似た音から始め、「ア、イ、ウ、エ、オ」に似た音の順に練習するのが、日本人にとってマスターしやすい、効果的な発音の学び方です。日本語1音に対して英語が8音もあるのは「ア」の音だけなので、「ア」に似た英語の発音を先に習得すれば、後に続く母音の練習がしやすくなり、発音に自信がもてるようになります。英語の発音を表した発音記号を使って、「ア」に似た8音の母音から、「ア、イ、ウ、エ、オ」に似た音の順に1音ずつ学び、正しい発音を身につけてください。

「ア」に似た音を区別しよう（1）

母音 1 [æ]　あごを下げて出す「ア」と「エ」の中間の音

発音のポイント

① 「ア」の口の形をしましょう。

② 「エー」と言いながら思いきりあごを下げます。

③ 唇を左右に軽く引いて、「ア」と「エ」の中間の音 [æ] を出しましょう。

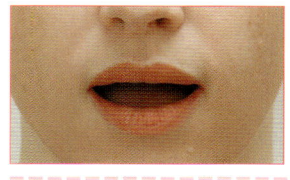 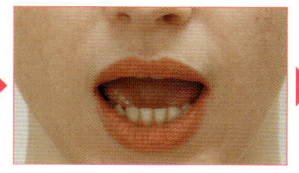 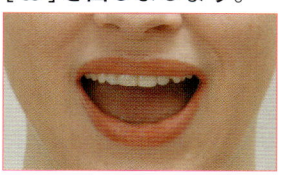

[æ]の練習　　[æ]、[æ]、[æ]、[æ]

単語の練習

| animal | [ǽnəməl] | 動物 | apple | [ǽpl] | りんご |
| cat | [kǽt] | ねこ | hand | [hǽnd] | 手 |

「ア」に似た音を区別しよう（2）

母音 2 [ʌ]　つまったような感じで、はき出すように「ア」と短く言う音

発音のポイント

① 口はあまり開けません。口の奥の方で発音します。

② つまったような感じで、はき出すように短く「ア」と言います。

③ 何かを思い出した時に言う「アッ」に似た音です。

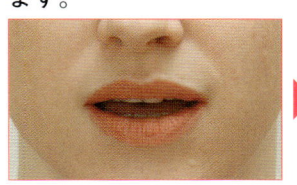 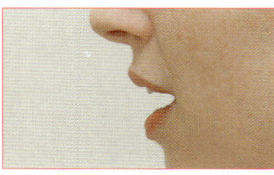 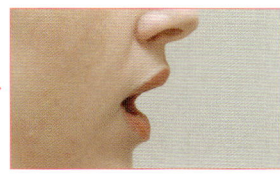

[ʌ]の練習　　[ʌ]、[ʌ]、[ʌ]、[ʌ]

単語の練習

| up | [ʌ́p] | 上へ | bus | [bʌ́s] | バス |
| cut | [kʌ́t] | ～を切る | run | [rʌ́n] | 走る |

「ア」に似た音を区別しよう（3）

母音 3 [ɑ] 指2本が入るくらい口を大きく開けて出す「ア」の音

発音のポイント

① 上下の歯の間に、指を縦に2本入れてみましょう。

② あくびをする時のように口を大きく開けます。

③ のどの奥の方から「ア」と言いましょう。

 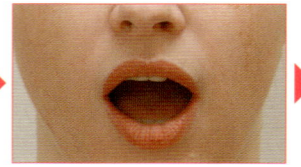 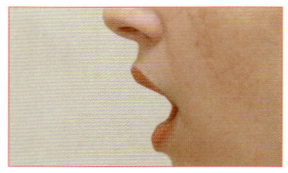

[ɑ]の練習　　[ɑ]、[ɑ]、[ɑ]、[ɑ]

単語の練習

box	[báks]	箱	lot	[lát]	たくさん
stop	[stáp]	～を止める	watch	[wátʃ]	腕時計

「ア」に似た音を区別しよう（4）

母音 4 [ɑː] 口を大きく開けて「アー」とのばす音

発音のポイント

① 口を大きく開け、のどの奥の方から「アー」と発音します。

② 音楽の発声練習で言う「アー」に似た音です。

③ 2つの点 [ː] は、音をのばすことを表します。

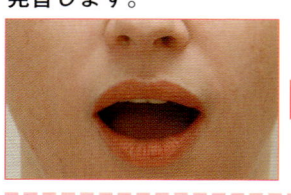 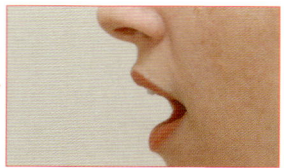 

[ː] 長音記号

[ɑː]の練習　　[ɑː]、[ɑː]、[ɑː]、[ɑː]

単語の練習

almond	[áːmənd]	アーモンド	calm	[káːm]	おだやかな
father	[fáːðər]	父	palm	[páːm]	やし（の木）

「ア」に似た音を区別しよう（5）

母音 5 [ɑ:r]　「アー」と言いながら舌先を少し丸めて[r]を加える音

発音のポイント

① 口を大きく開けて「アー」と言いましょう。

② 「アー」と言いながら舌先を少し丸め、[r]の音を加えます。

③ この[r]は口を少し閉じて発音します。

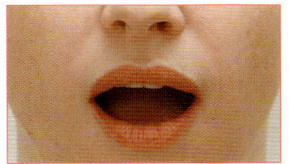 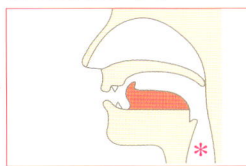 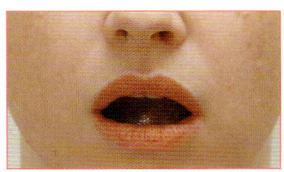

[ɑ:r]の練習　[ɑ:r]、[ɑ:r]、[ɑ:r]、[ɑ:r]

単語の練習

arm	[ɑ́:rm]	腕	dark	[dɑ́:rk]	暗い
March	[mɑ́:rtʃ]	3月	car	[kɑ́:r]	車

「ア」に似た音を区別しよう（6）

母音 6 [ə:r]　舌先を丸め、唇と舌に力を入れて「アー」と言う音

発音のポイント

① 口を少し開けます。

② 舌先を丸めて、口の奥の方に引きこむようにします。

③ 唇と舌に力を入れて、「アー」と発音しましょう。

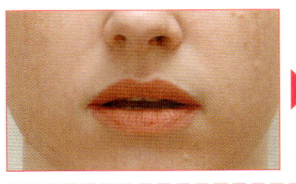 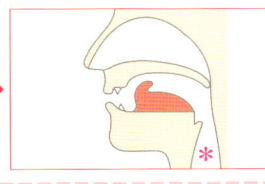 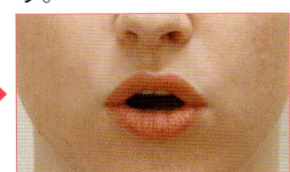

[ə:r]の練習　[ə:r]、[ə:r]、[ə:r]、[ə:r]

単語の練習

bird	[bə́:rd]	鳥	girl	[gə́:rl]	少女
turn	[tə́:rn]	まわる	word	[wə́:rd]	単語

「ア」に似た音を区別しよう（7）

母音 7 [ə]　唇や舌に力を入れないで、弱く短く「ア」と言う音

発音のポイント

① 唇や舌に力を入れないで、弱く短く「ア」と言います。

② [ə]は弱い音で、アクセントのない部分にあります。

③ 弱くあいまいな音なので、「あいまい母音」と呼ばれています。

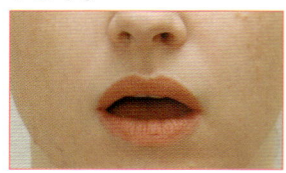
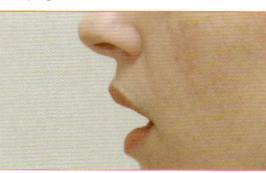

あいまい母音

[ə]の練習　　[ə]、[ə]、[ə]、[ə]

単語の練習
about	[əbáut]	～について	ago	[əgóu]	～前に
autumn	[ɔ́:təm]	秋	famous	[féiməs]	有名な

「ア」に似た音を区別しよう（8）

母音 8 [ər]　弱く「ア」と言う時に、舌先を丸めて[r]をひびかせる音

発音のポイント

① 弱く「ア」と言う時に、舌先を少し丸めて[r]の音をひびかせます。

② [ər]は弱い音で、アクセントのない部分にあります。

③ [ər]は[ə:r]を弱く短めに発音した母音です。

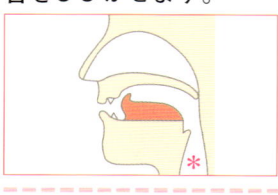
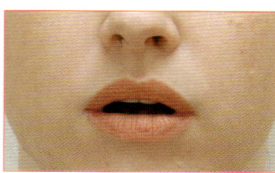

[ər]
[ə:r]

[ər]の練習　　[ər]、[ər]、[ər]、[ər]

単語の練習
over	[óuvər]	～の上に	sister	[sístər]	姉、妹
teacher	[tí:tʃər]	先生	winter	[wíntər]	冬

「ア」に似た音のまとめ

1 [æ] 「ア」の口の形であごを思いきり下げて「エ」と言います。
ant [ǽnt] あり

2 [ʌ] 口をあまり開けず、つまったように短く「ア」と発音します。
cup [kʌ́p] カップ

3 [ɑ] 指が縦に2本入るくらい口を大きく開けて「ア」と発音します。
top [tɑ́p] 頂上

4 [ɑ:] 口を大きく開けて、のどの奥の方から「アー」と発音します。
father [fɑ́:ðər] 父

5 [ɑ:r] 口を大きく開けて「アー」と言いながら、舌先を少し丸め [r] の音を加えます。
card [kɑ́:rd] カード

6 [ə:r] 口を少し開け、舌先を丸め唇と舌に力を入れて「アー」と言います。
learn [lə́:rn] 〜を学ぶ

7 [ə] 唇や舌に力を入れないで、弱く短く「ァ」と発音します。
away [əwéi] あちらへ

8 [ər] 弱く「ァ」と言う時に、舌先を少し丸めて [r] の音をひびかせましょう。
doctor [dɑ́ktər] 医者

母音

「イ」に似た音を区別しよう（1）

母音 9 [i]　　「エ」の口の形で舌に力を入れないで、短く「イ」と言う音

発音のポイント

① [i] は「イ」と「エ」の中間の発音です。

② 歯で小指を軽くかんで、「エ」と言う時の口の形にします。

③ その口の形で舌に力を入れないで、短く「イ」と言いましょう。

 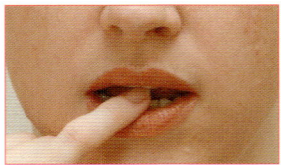 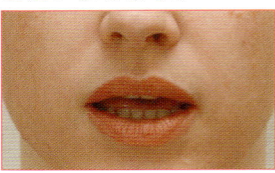

[i]の練習　　[i]、[i]、[i]、[i]

単語の練習

is	[íz]	～です	it	[ít]	それは
listen	[lísn]	聞く	will	[wíl]	～でしょう

「イ」に似た音を区別しよう（2）

母音 10 [i:]　　唇の両端を左右に引いて、はっきり「イー」と言う音

発音のポイント

① [i:] は「イー」とはっきり発音します。

② 日本語の「イー」を言う時よりも唇を左右に引きます。

③ 舌に力を入れて、はっきり「イー」と言いましょう。

 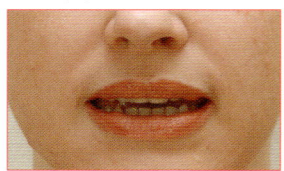 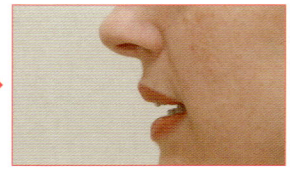

[i:]の練習　　[i:]、[i:]、[i:]、[i:]

単語の練習

each	[í:tʃ]	それぞれの	deep	[dí:p]	深い
meet	[mí:t]	～に会う	speak	[spí:k]	話す

「ウ」に似た音を区別しよう（1）

母音 11 [u]　唇を少し丸めてつき出し、短く「ウ」と言う音

発音のポイント

① 唇を少し丸めてつき出してください。

② のどの奥の方から短く「ウ」と言いましょう。

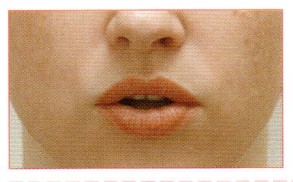 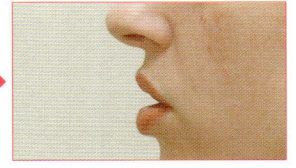 

[u]の練習　　[u]、[u]、[u]、[u]

単語の練習

book	[búk]	本	**cook**	[kúk]	料理する
good	[gúd]	よい	**put**	[pút]	〜を置く

「ウ」に似た音を区別しよう（2）

母音 12 [uː]　唇を丸め、前につき出して長めに「ウー」と言う音

発音のポイント

① 唇を丸め、前につき出してください。

② 口笛を吹く時のような口の形にします。

③ その口の形で長めに「ウー」と言いましょう。

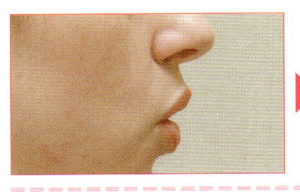 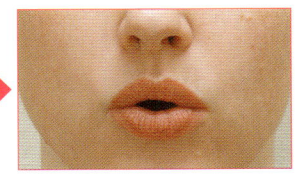 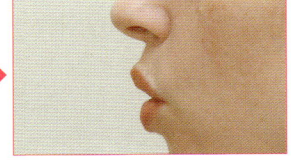

[uː]の練習　　[uː]、[uː]、[uː]、[uː]

単語の練習

cool	[kúːl]	涼しい	**noon**	[núːn]	正午
soon	[súːn]	すぐに	**blue**	[blúː]	青い

「エ」に似た発音をしよう
母音 13 [e]　唇を左右に引き、はっきり「エ」と言う音

発音のポイント

①日本語の「エ」の口の形にしてください。

②「エ」よりも唇を左右に引きましょう。

③つまったような感じで、はっきり「エ」と発音します。

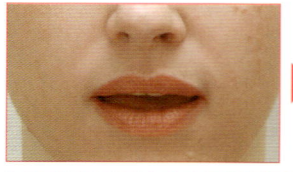 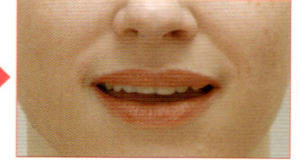 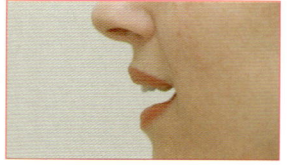

[e]の練習　　[e]、[e]、[e]、[e]

単語の練習

egg	[ég]	卵
next	[nékst]	次の

every	[évri]	どの〜も
tennis	[ténis]	テニス

「オー」に似た発音をしよう（1）

母音 14 [ɔː]　あごを下げ、口を大きく開けて「オー」と言う音

発音のポイント

① あごを下げ、口を大きく開けてください。

② 「カー」とからすの鳴きまねをする時の口の形と舌の位置で、「オー」と言います。

③ のどの奥の方から[ɔː]と発音しましょう。

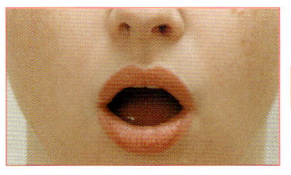 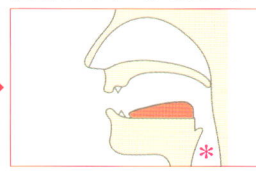 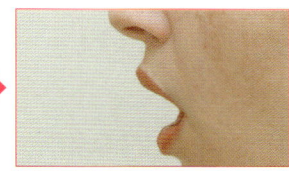

[ɔː]の練習　　[ɔː]、[ɔː]、[ɔː]、[ɔː]

単語の練習

August	[ɔ́ːgəst]	8月	ball	[bɔ́ːl]	ボール
call	[kɔ́ːl]	〜を呼ぶ	walk	[wɔ́ːk]	歩く

「オー」に似た発音をしよう（2）

母音 15 [ɔːr]　「オー」と言いながら舌先を少し丸めて[r]をひびかせる音

発音のポイント

① 日本語の「オ」より口を少し大きく開け、「オー」と言います。

② 「オー」と言いながら舌先を少し丸めて[r]の音を加え、[ɔːr]と発音します。

③ この[r]は口を少し閉じて発音します。

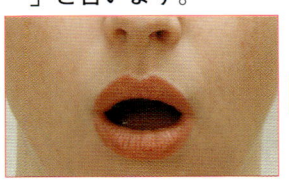 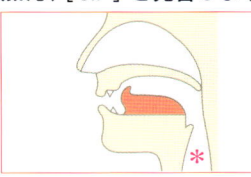 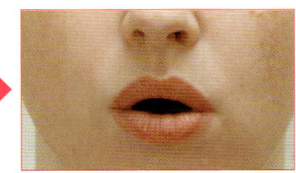

[ɔːr]の練習　　[ɔːr]、[ɔːr]、[ɔːr]、[ɔːr]

単語の練習

course	[kɔ́ːrs]	進路	warm	[wɔ́ːrm]	暖かい
door	[dɔ́ːr]	ドア	more	[mɔ́ːr]	もっと多くの

[a]を強く[i]を弱く発音しよう
母音 16 [ai]　「ア」を強く言い、「ィ」を弱くそえる「アィ」の発音

発音のポイント

①日本語の「ア」よりも口を少し大きく開け、「ア」と強く言います。

②「ア」に「ィ」を弱くそえます。

③「ア」と「ィ」を離さず、「アィ」と一息に発音しましょう。

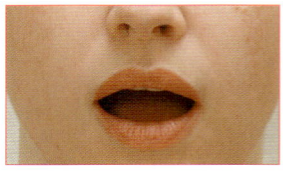 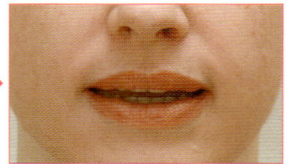 

[ai]の練習　[ai]、[ai]、[ai]、[ai]

単語の練習

| like | [láik] | ～を好む | mine | [máin] | 私のもの |
| time | [táim] | 時 | high | [hái] | 高い |

[ai]に[ər]を加えた発音をしよう
母音 17 [aiər]　「アィャァ」の「ャァ」は舌先を少し丸めて発音します

発音のポイント

①日本語の「ア」よりも口を少し大きく開け、「ア」と強く言います。

②「ア」に「ィ」を弱くそえます。

③「アィ」に「ャァ」を軽く加え、「アィャァ」と発音します。「ャァ」と言う時に舌先を少し丸めます。

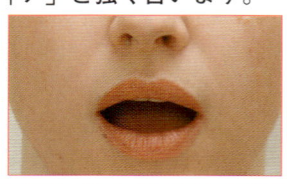 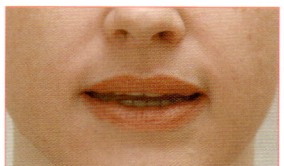 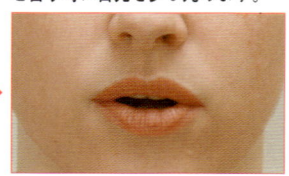

[aiər]の練習　[aiər]、[aiər]、[aiər]、[aiər]

単語の練習

| dryer | [dráiər] | ドライヤー | fire | [fáiər] | 火 |
| tire | [táiər] | タイヤ | wire | [wáiər] | 針金 |

[a]を強く[u]を弱く発音しよう

母音 18 [au]   「ア」を強く言い、「ゥ」を弱くそえる「アゥ」の発音

発音のポイント

①日本語の「ア」よりも口を少し大きく開け、「ア」と強く言います。

②「ア」に「ゥ」を弱くそえます。

③「ア」と「ゥ」を離さず、「アゥ」と一息に発音しましょう。

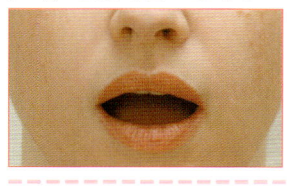 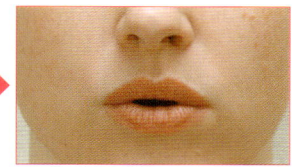 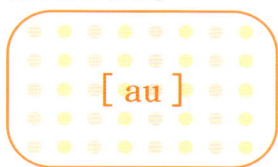

[au]の練習　[au]、[au]、[au]、[au]

単語の練習

out	[áut]	外へ	sound	[sáund]	音
how	[háu]	どのようにして	now	[náu]	今

[au]に[ər]を加えた発音をしよう

母音 19 [auər]   「アヮァ」の「ァ」を発音する時、舌先を少し丸めます

発音のポイント

①日本語の「ア」よりも口を少し大きく開け、「ア」と強く言います。

②「ア」に「ヮァ」を軽くそえて、「アヮァ」と発音します。

③最後の「ァ」を言う時に、舌先を少し丸めましょう。

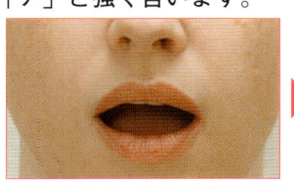 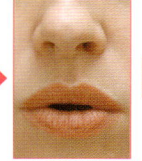 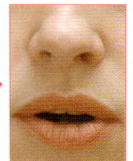 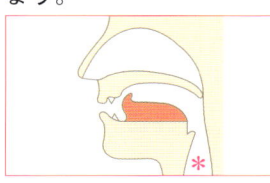

[auər]の練習　[auər]、[auər]、[auər]、[auər]

単語の練習

our	[áuər]	私たちの	flower	[fláuər]	花
power	[páuər]	力	tower	[táuər]	塔

母音　33

[e]を強く[i]を弱く発音しよう

母音 20 [ei] 「エ」を強く言い、「ィ」を弱くそえる「エィ」の発音

発音のポイント

① 強く「エ」と発音します。

② 「エ」に「ィ」を弱くそえます。

③ 「エ」と「ィ」を離さず、「エィ」と一息に発音しましょう。

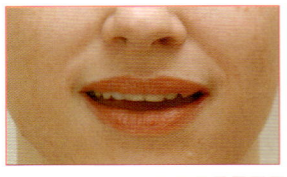 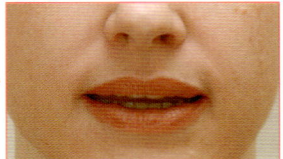 

[ei]の練習　　[ei]、[ei]、[ei]、[ei]

単語の練習

age	[éidʒ]	年齢	**take**	[téik]	〜を取る
day	[déi]	日	**play**	[pléi]	遊ぶ

[ɔ]を強く[i]を弱く発音しよう

母音 21 [ɔi] 「オ」を強く言い、「ィ」を弱くそえる「オィ」の発音

発音のポイント

①「オ」と強く言います。

②「オ」に「ィ」を弱くそえます。

③「オ」と「ィ」を離さず、「オィ」と一息に発音しましょう。

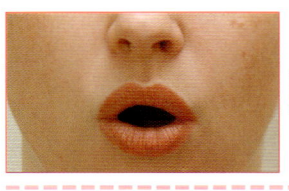 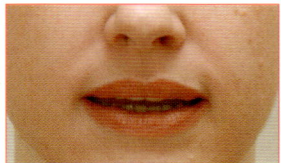 

[ɔi]の練習　　[ɔi]、[ɔi]、[ɔi]、[ɔi]

単語の練習

oil	[ɔ́il]	油	**join**	[dʒɔ́in]	〜に加わる
boy	[bɔ́i]	少年	**toy**	[tɔ́i]	おもちゃ

[o]を強く[u]を弱く発音しよう

母音 22 [ou]　「オ」と強く言い、「ゥ」を弱くそえる「オゥ」の発音

発音のポイント

①日本語の「オ」より唇を少し丸め、「オ」と強く言います。

②唇をすぼめながら弱く「ゥ」をそえましょう。

③「オ」と「ゥ」を離さず、「オゥ」と一息に発音します。

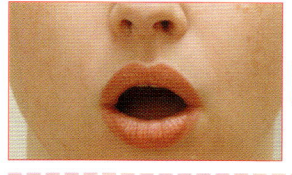 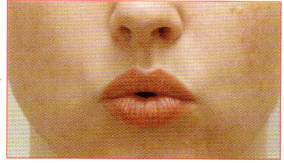 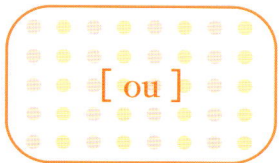

[ou]の練習　[ou]、[ou]、[ou]、[ou]

単語の練習

old	[óuld]	古い	**go**	[góu]	行く
know	[nóu]	～を知っている	**so**	[sóu]	それほど

初めの音より後の音を強く発音しよう

母音 23 [ju:]　「ユー」と発音しながら唇をすぼめ、強く「ウ」と言う音

発音のポイント

①「ユー」と音をのばして発音します。

②「ユー」と音をのばしながら唇をすぼめて、強く「ウ」の音を出すと「ユーウ」の発音をすることができます。

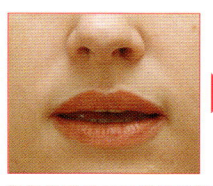 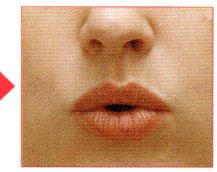 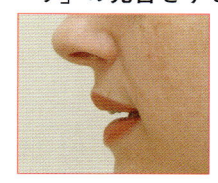 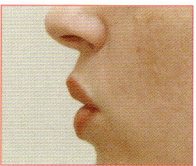

[ju:]の練習　[ju:]、[ju:]、[ju:]、[ju:]

単語の練習

use	[jú:z]	～を使う	**beautiful**	[bjú:təfəl]	美しい
computer	[kəmpjú:tər]	コンピューター	**music**	[mjú:zik]	音楽

[i]に[ər]を加えた発音をしよう
母音 24 [iər]　「イャァ」の「ャァ」と言う時に舌先を少し丸めます

発音のポイント

① 「イ」とはっきり発音し、軽く「ャァ」をそえて「イャァ」と言います。

② 「ャァ」と発音する時に舌先を少し丸め、[r]の音をひびかせましょう。

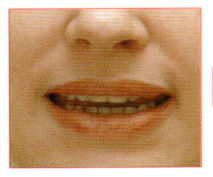 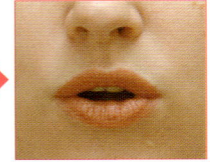 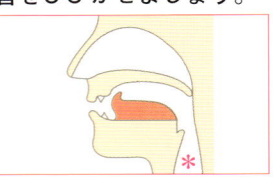

[iər]の練習　[iər]、[iər]、[iər]、[iər]

単語の練習

| ear | [íər] | 耳 | dear | [díər] | 親愛なる |
| here | [híər] | ここに | near | [níər] | 〜の近くに |

---

[u]に[ər]を加えた発音をしよう
母音 25 [uər]　「ウァ」の「ァ」を言う時に舌先を少し丸めます

発音のポイント

① 唇を丸めてつき出し、強く「ウ」と発音し、軽く「ァ」をそえて「ウァ」と言います。

② 「ァ」と言う時に舌先を少し巻いて、[r]の音をひびかせましょう。

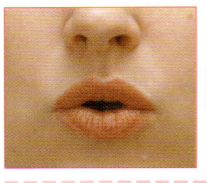 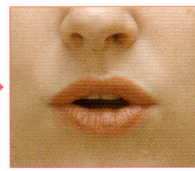 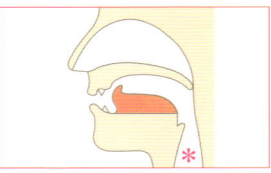

[uər]の練習　[uər]、[uər]、[uər]、[uər]

単語の練習

| moor | [múər] | 船をつなぐ | poor | [púər] | 貧しい |
| sure | [ʃúər] | 確かな | tour | [túər] | 旅行 |

[e]に[ər]を加えた発音をしよう

母音 26 [eər] 「エァ」の「ァ」を言う時に舌先を少し丸めます

発音のポイント

① 強くはっきり「エ」と発音し、軽く「ァ」をそえて「エァ」と言います。

② 「ァ」と言う時に舌先を少し巻いて、[r]の音をひびかせましょう。

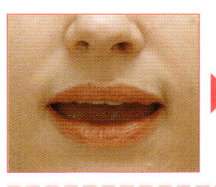

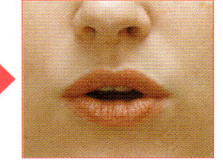

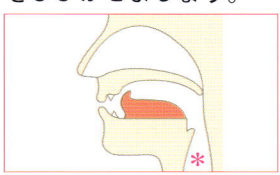

[eər]の練習 [eər]、[eər]、[eər]、[eər]

単語の練習

air	[éər]	空気		**care**	[kéər]	世話
chair	[tʃéər]	いす		**hair**	[héər]	髪の毛

tour   ear   hair   chair

母音 37

まちがえやすい母音の発音

① hat [hǽt]（ふちのある）帽子

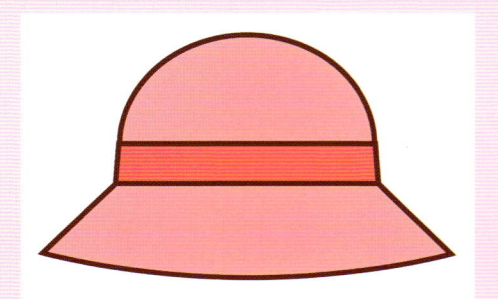

[æ]

「ア」の口の形で思いきりあごを下げて「エ」と言います。

② hut [hʌ́t] 小屋

[ʌ]

口をあまり開けず、つまったように短く「ア」と発音します。

③ hot [hɑ́t] 暑い

[ɑ]

指が縦に2本入るくらい口を大きく開けて「ア」と発音します。

まちがえやすい母音の発音を比べてみましょう

1　[æ] － [e]

[æ] ＊「ア」の口の形であごを思いきり下げて「エ」と言います。

[e] ＊つまったような感じで、はっきり「エ」と発音します。

| bad | [bǽd] | 悪い | bed | [béd] | ベッド |
| pan | [pǽn] | なべ | pen | [pén] | ペン |

2　[ʌ] － [æ]

[ʌ] ＊口をあまり開けず、つまったように短く「ア」と発音します。

[æ] ＊「ア」の口の形であごを思いきり下げて「エ」と言います。

| fun | [fʌ́n] | おもしろいこと | fan | [fǽn] | うちわ |
| luck | [lʌ́k] | 運 | lack | [lǽk] | 不足 |

3　[ʌ] － [ɑ]

[ʌ] ＊口をあまり開けず、つまったように短く「ア」と発音します。

[ɑ] ＊指が縦に2本入るくらい口を大きく開けて「ア」と言います。

| dull | [dʌ́l] | つまらない | doll | [dɑ́l] | 人形 |
| nut | [nʌ́t] | 木の実 | not | [nɑ́t] | ～でない |

4　[æ] － [ɑ]

[æ] ＊「ア」の口の形であごを思いきり下げて「エ」と言います。

[ɑ] ＊指が縦に2本入るくらい口を大きく開けて「ア」と言います。

| cat | [kǽt] | ねこ | cot | [kɑ́t] | 簡易ベッド |
| pat | [pǽt] | ～を軽くたたく | pot | [pɑ́t] | つぼ |

まちがえやすい母音の発音を比べてみましょう

5 [ɑ] − [ɑ:r]

[ɑ] ＊指が縦に2本入るくらい口を大きく開けて「ア」と言います。

[ɑ:r] ＊口を大きく開けて「アー」と言いながら、舌先を少し丸めます。

lock	[lák]	～にかぎをかける	**lark**	[lá:rk]	ひばり
shop	[ʃáp]	店	**sharp**	[ʃá:rp]	するどい

6 [ə:r] − [ɑ:r]

[ə:r] ＊口を少し開け、舌先を丸め唇と舌に力を入れて「アー」と言います。

[ɑ:r] ＊口を大きく開けて「アー」と言いながら、舌先を少し丸めます。

hurt	[hə́:rt]	痛む	**heart**	[hɑ́:rt]	心
stir	[stə́:r]	～をかきまわす	**star**	[stɑ́:r]	星

7 [i] − [ʌ]

[i] ＊「エ」の口の形で舌に力を入れないで、短く「イ」と言います。

[ʌ] ＊口をあまり開けず、つまったように短く「ア」と発音します。

big	[bíg]	大きい	**bug**	[bʌ́g]	虫
win	[wín]	勝つ	**won**	[wʌ́n]	winの過去・過去分詞形

8 [i] − [e]

[i] ＊「エ」の口の形で舌に力を入れないで、短く「イ」と言います。

[e] ＊つまったような感じで、はっきり「エ」と発音します。

sit	[sít]	すわる	**set**	[sét]	～を用意する
till	[tíl]	～まで	**tell**	[tél]	～を話す

9 [iː] − [i]

[iː] *唇を左右に引き、はっきり「イー」と発音します。

[i] *「エ」の口の形で舌に力を入れないで、短く「イ」と言います。

| heat | [híːt] | 熱 | hit | [hít] | 〜を打つ |
| leave | [líːv] | 〜を去る | live | [lív] | 住む |

10 [u] − [uː]

[u] *唇を少し丸めてつき出し、短く「ウ」と言います。

[uː] *唇を丸めてつき出し、長めに「ウー」と発音します。

| full | [fúl] | いっぱいの | fool | [fúːl] | ばか者 |
| pull | [púl] | 〜を引く | pool | [púːl] | プール |

11 [ɔː] − [ʌ]

[ɔː] *あごを下げ、口を大きく開けて「オー」と言います。

[ʌ] *口をあまり開けず、つまったように短く「ア」と発音します。

| long | [lɔ́ːŋ] | 長い | lung | [lʌ́ŋ] | 肺 |
| talk | [tɔ́ːk] | 話をする | tuck | [tʌ́k] | 〜を押しこむ |

12 [aːr] − [ɔːr]

[aːr] *口を大きく開けて「アー」と言いながら、舌先を少し丸めます。

[ɔːr] *「オー」と言いながら舌先を少し丸めます。

| far | [fáːr] | 遠くに | four | [fɔ́ːr] | 4 |
| park | [páːrk] | 公園 | pork | [pɔ́ːrk] | 豚肉 |

母音

まちがえやすい母音の発音を比べてみましょう

13　[ə:r] − [ɔ:r]

[ə:r] ＊口を少し開け、舌先を丸め唇と舌に力を入れて「アー」と言います。

[ɔ:r] ＊「オー」と言いながら舌先を少し丸めます。

| shirt | [ʃə́:rt] | ワイシャツ | short | [ʃɔ́:rt] | 短い |
| worm | [wə́:rm] | (みみずなどの)虫 | warm | [wɔ́:rm] | 暖かい |

14　[i] − [ai]

[i] ＊「エ」の口の形で舌に力を入れないで、短く「イ」と言います。

[ai] ＊「ア」と強く言い、「ィ」を弱くそえて「アィ」と発音します。

| fin | [fín] | (魚の)ひれ | fine | [fáin] | 立派な |
| rid | [ríd] | 〜から取り除く | ride | [ráid] | 乗る |

15　[ai] − [au]

[ai] ＊「ア」と強く言い、「ィ」を弱くそえて「アィ」と発音します。

[au] ＊「ア」と強く言い、「ゥ」を弱くそえて「アゥ」と発音します。

| buy | [bái] | 〜を買う | bow | [báu] | おじぎをする |
| find | [fáind] | 〜を見つける | found | [fáund] | findの過去・過去分詞形 |

16　[e] − [ei]

[e] ＊つまったような感じで、はっきり「エ」と発音します。

[ei] ＊「エ」と強く言い、「ィ」を弱くそえて「エィ」と発音します。

| get | [gét] | 〜を得る | gate | [géit] | 門 |
| let | [lét] | (人)に〜させる | late | [léit] | おそい |

17 [ɔi] － [ei]

[ɔi] ＊「オ」と強く言い、「ィ」を弱くそえて「オィ」と発音します。

[ei] ＊「エ」と強く言い、「ィ」を弱くそえて「エィ」と発音します。

| soy [sɔ́i] | 大豆 | say [séi] | ～を言う |
| soil [sɔ́il] | 土 | sale [séil] | 特売 |

18 [ou] － [ɔ:]

[ou] ＊「オ」と強く言い、「ゥ」を弱くそえて「オゥ」と発音します。

[ɔ:] ＊あごを下げ、口を大きく開けて「オー」と言います。

| boat [bóut] | ボート | bought [bɔ́:t] | buyの過去・過去分詞形 |
| hole [hóul] | 穴 | hall [hɔ́:l] | 会館 |

buy

bow

入門編

子音の発音を練習しよう

息や声が舌、歯、唇などにじゃまされて出る音を子音と呼びます。本書では24の子音を扱っています。

子音の発音が難しいと感じる読者がたくさんいらっしゃると思います。その理由は、日本語にはない[f]、[v]、[θ]、[ð]などの発音があり、これらの音を出す時は、舌、歯、唇などを活発に使わなければならないからです。

どのようにしたら効率的に子音が学べるでしょうか。実は、上に述べた[f]、[v]、[θ]、[ð]を含む、下記の音の組み合わせは、発音の仕方が同じです。1つの音をしっかり練習すると、もう一方の発音の仕方もよくわかり、効率的に発音の練習をすることができます。

それぞれの組み合わせで、左側の音が息だけで出る音（無声音）、右側の音が声になって出る音（有声音）と呼ばれています。たくさんの子音を効率よく習得できるように、発音の仕方が同じ組み合わせの無声子音には♪印、そして有声子音には♪印が書かれています。

♪無声子音♪	♪有声子音♪
[p]	[b]
[t]	[d]
[k]	[g]
[f]	[v]
[s]	[z]
[θ]	[ð]
[ʃ]	[ʒ]
[tʃ]	[dʒ]

[l] と [r] の発音を区別しよう（1）

子音 1 [l]　舌先を上の歯ぐきにつけて「ル」と声を出す音

発音のポイント

① 舌の先を上の歯ぐきにしっかりとつけましょう。

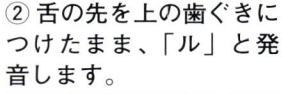

② 舌の先を上の歯ぐきにつけたまま、「ル」と発音します。

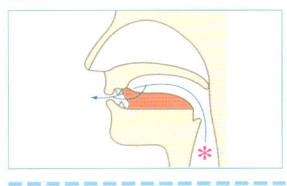

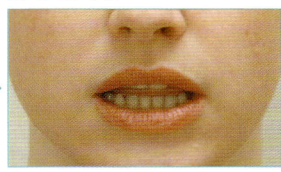

lunch

[l]の練習　　[l]、[l]、[l]、[l]

単語の練習

| look | [lúk] | 見る | lunch | [lʌ́ntʃ] | 昼食 |
| close | [klóuz] | 〜を閉じる | tall | [tɔ́:l] | 高い |

[l] と [r] の発音を区別しよう（2）

子音 2 [r]　舌先を丸め、舌に力を入れて「ル」と声を出す音

発音のポイント

① 舌の先を丸め、口の奥の方へ近づけます。

② 舌に力を入れて「ル」と発音します。

③ [l] は舌先を上の歯ぐきにつけて発音しますが、[r] の場合は、舌先が上の歯ぐきにもどこにもふれないようにしましょう。

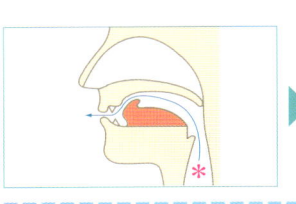

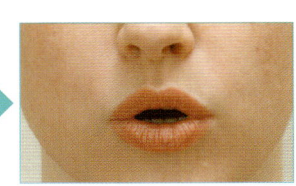

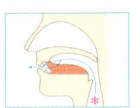

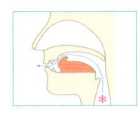

[r]の練習　　[r]、[r]、[r]、[r]

単語の練習

| red | [réd] | 赤い | room | [rú:m] | 部屋 |
| bring | [bríŋ] | 〜を持ってくる | great | [gréit] | 偉大な |

子音　45

閉じた唇を開けて発音しよう（1）

子音 3 [p]　唇を閉じてから急に開いて「プッ」と息を出す音

発音のポイント

① 唇を閉じ、息の流れを止めます。

② 唇を急に開いて「プッ」と息を出します。

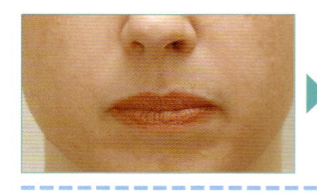

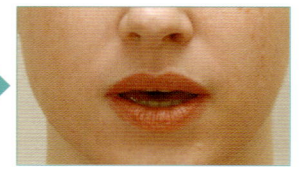

[p]の練習　　[p]、[p]、[p]、[p]

単語の練習

peace	[píːs]	平和	**pencil**	[pénsl]	鉛筆
happy	[hǽpi]	幸福な	**sleep**	[slíːp]	眠る

閉じた唇を開けて発音しよう（2）

子音 4 [b]　唇を閉じてから急に開いて「ブッ」と声を出す音

発音のポイント

① 唇を閉じ、息の流れを止めます。

② 唇を急に開いて「ブッ」と声を出します。

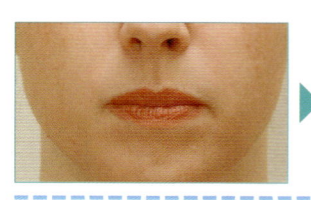

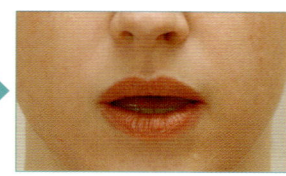

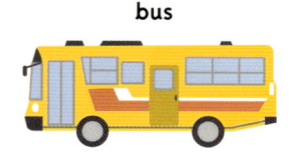

[b]の練習　　[b]、[b]、[b]、[b]

単語の練習

beach	[bíːtʃ]	浜	**bus**	[bʌ́s]	バス
number	[nʌ́mbər]	数	**club**	[klʌ́b]	クラブ

上歯ぐきにつけた舌先を離して発音しよう（1）

子音 5 [t]　舌先を上の歯ぐきにつけ、急に離して「トゥ」と息を出す音

発音のポイント

① 舌の先を上の歯ぐきにつけて、息の流れを止めます。

② 舌の先を急にはじくように離すと同時に、「トゥ」と息を出します。

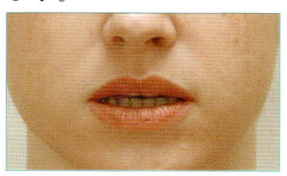

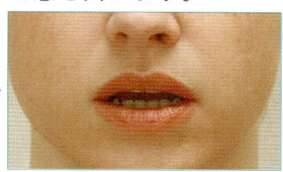

teach

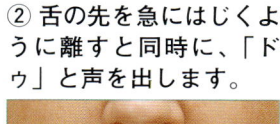

[t]の練習　　[t]、[t]、[t]、[t]

単語の練習

teach	[tíːtʃ]	〜を教える	**ten**	[tén]		10
stay	[stéi]	滞在する	**best**	[bést]		最もよい

上歯ぐきにつけた舌先を離して発音しよう（2）

子音 6 [d]　舌先を上の歯ぐきにつけ、急に離して「ドゥ」と声を出す音

発音のポイント

① 舌の先を上の歯ぐきにつけて、息の流れを止めます。

② 舌の先を急にはじくように離すと同時に、「ドゥ」と声を出します。

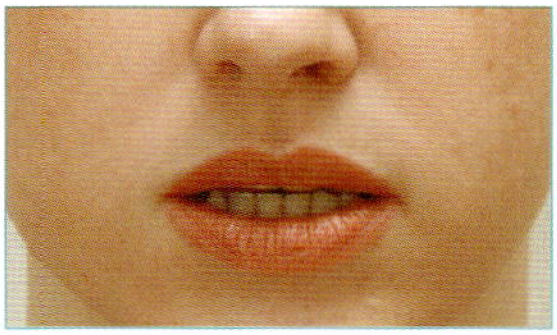

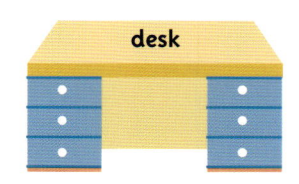

desk

[d]の練習　　[d]、[d]、[d]、[d]

単語の練習

desk	[désk]	机	**dinner**	[dínər]		ディナー
pardon	[páːrdn]	許すこと	**stand**	[stǽnd]		立つ

子音　47

上あごの奥につけた舌を離す時に発音しよう（1）

子音 7 [k]　舌の後ろをあごの奥につけ、急に離して「クッ」と息を出す音

発音のポイント

① 舌の後ろの部分を持ち上げて、上あごの奥につけてください。

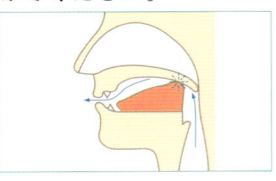

② 舌を急に離すと同時に、「クッ」と息を出します。

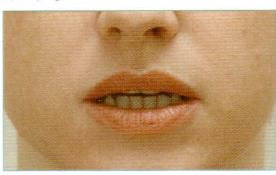

③ 舌全体を上あごにつけ、舌の前と真ん中の部分を上あごから離すようにすると、舌の後ろの部分が上あごの奥につきます。

[k]の練習　　[k]、[k]、[k]、[k]

単語の練習

keep	[kíːp]	～を持ち続ける	kind	[káind]	親切な
school	[skúːl]	学校	back	[bǽk]	背中

上あごの奥につけた舌を離す時に発音しよう（2）

子音 8 [g]　舌の後ろをあごの奥につけ、急に離して「グッ」と声を出す音

発音のポイント

① 舌の後ろの部分を持ち上げて、上あごの奥につけてください。

② 舌を急に離すと同時に、「グッ」と声を出します。

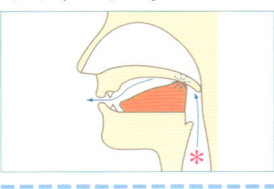

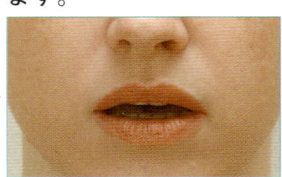

bag

[g]の練習　　[g]、[g]、[g]、[g]

単語の練習

game	[géim]	試合	glad	[glǽd]	うれしい
begin	[bigín]	始まる	bag	[bǽg]	かばん

鼻から声を出して発音しよう（1）

子音 9 [m]　　唇を閉じて、鼻から「ム」と声を出す音

発音のポイント

① 唇をしっかりと閉じてください。

② 唇を閉じたまま、鼻から「ム」と声を出しましょう。

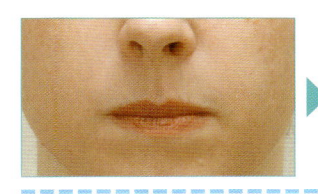

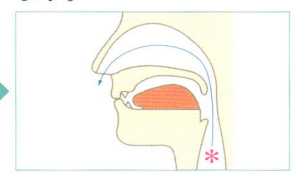

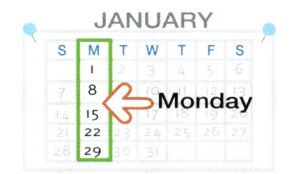

---

[m]の練習　　[m]、[m]、[m]、[m]

単語の練習

make	[méik]	～を作る	
summer	[sʌ́mər]	夏	
Monday	[mʌ́ndèi]	月曜日	
team	[tíːm]	チーム	

鼻から声を出して発音しよう（2）

子音 10 [n]　　舌先を上の歯ぐきにつけて、鼻から「ヌ」と声を出す音

発音のポイント

① 口を少し開けましょう。

② 舌の先を上の歯ぐきにつけてください。

③ 舌の先をつけたまま、鼻から「ヌ」と声を出しましょう。

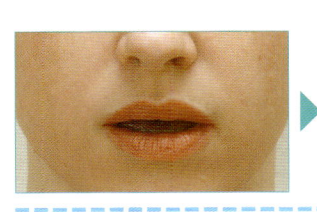

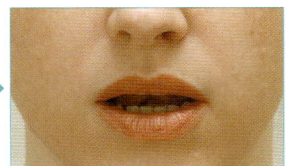

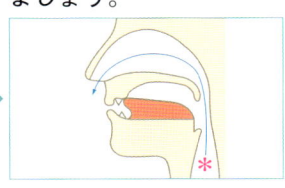

---

[n]の練習　　[n]、[n]、[n]、[n]

単語の練習

need	[níːd]	～を必要とする	
lend	[lénd]	～を貸す	
night	[náit]	夜	
sun	[sʌ́n]	太陽	

鼻から声を出して発音しよう（3）

子音 11 [ŋ]　舌の後ろを上あごの奥につけて、鼻から「ング」と声を出す音

発音のポイント

① 舌の後ろの部分を持ち上げて、上あごの奥につけます。

② 鼻からやわらかく「ング」と声を出しましょう。

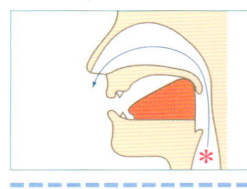

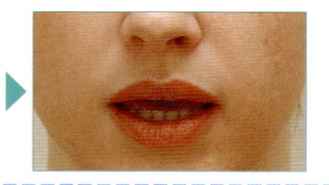

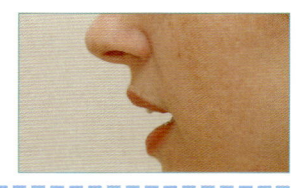

[ŋ]の練習　[ŋ]、[ŋ]、[ŋ]、[ŋ]

単語の練習

bank	[bæŋk]	銀行	**singer**	[síŋər]	歌手
among	[əmʌ́ŋ]	〜の中に	**wrong**	[rɔ́ːŋ]	まちがった

鼻音（びおん）[m] [n] [ŋ]

息を鼻に通して出す有声の音

[m]	唇を閉じて、鼻から「ム」と発音します。 **May** [méi]　5月
[n]	口を少し開け、舌先を上の歯ぐきにつけて鼻から「ヌ」と発音します。 **nice** [náis]　すてきな
[ŋ]	舌の後ろの部分を上あごの奥につけて、鼻から「ング」と声を出します。 **building** [bíldiŋ]　建物

上の歯で下唇を軽く押さえて発音しよう（1）

子音 12 [f]　上の歯で下唇を軽く押さえて、「フ」と息を出す音

発音のポイント

① 上の前歯で下唇の内側を軽く押さえます。

② 歯と唇のすき間から強く「フ」と息を出します。

③ 日本語の「フ」にならないよう、上の歯で下唇を押さえて発音しましょう。

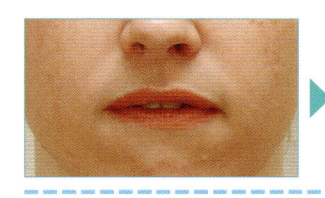

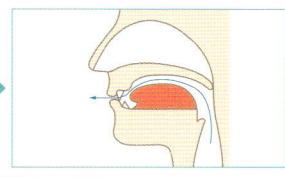

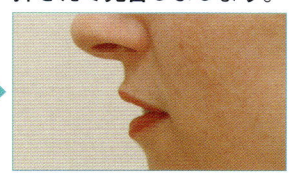

[f]の練習　　[f]、[f]、[f]、[f]

単語の練習

food	[fúːd]	食物	**friend**	[frénd]	友だち
before	[bifɔ́ːr]	～の前に	**enough**	[inʌ́f]	十分な

上の歯で下唇を軽く押さえて発音しよう（2）

子音 13 [v]　上の歯で下唇を軽く押さえて、「ヴ」と声を出す音

発音のポイント

① 上の前歯で下唇の内側を軽く押さえます。

② 歯と唇のすき間から「ヴ」と声を出します。

③ [b]の発音にならないよう、上の歯で下唇を押さえて発音しましょう。

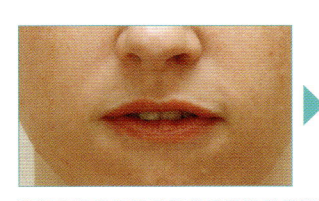

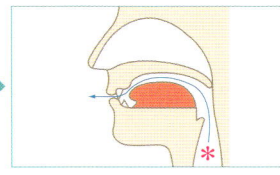

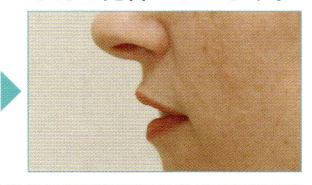

[v]の練習　　[v]、[v]、[v]、[v]

単語の練習

very	[véri]	非常に	**visit**	[vízit]	～を訪れる
never	[névər]	決して～ない	**five**	[fáiv]	5

子音　51

のどの奥から息を出して発音しよう

子音 14 [h]　のどの奥から「ハッ」と息を出す音

発音のポイント

① 口を自然に開けます。

② のどの奥から「ハッ」と息を出します。

③ こごえた手に「ハッ」と息を吹きかける音に似ています。

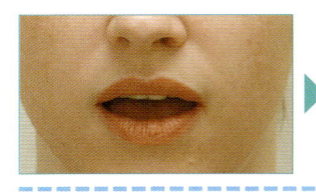

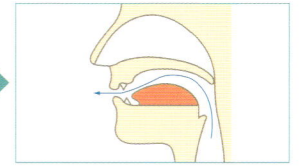

[h]の練習　　[h]、[h]、[h]、[h]

単語の練習

hard　　[há:rd]　　難しい　　　　**help**　　　[hélp]　　　～を手伝う
home　　[hóum]　　家庭　　　　　**behind**　[biháind]　後ろに

help

study

zoo

52　子音

舌先を上の歯の裏に近づけて発音しよう（1）

子音 15 [s]   舌先を上の歯の裏に近づけて、「ス」と息を出す音

発音のポイント

① 舌の先を上の歯の裏に近づけます。

② 舌と歯のすき間から強く「ス」と息を出して発音しましょう。

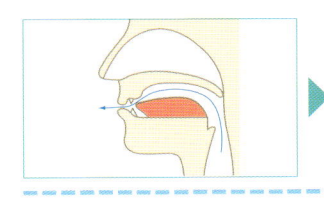

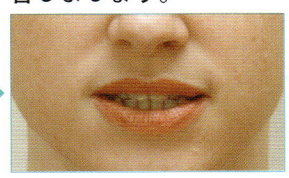

house

[s]の練習　　[s]、[s]、[s]、[s]

単語の練習

sell	[sél]	～を売る	study	[stʌ́di]	～を勉強する
also	[ɔ́ːlsou]	～もまた	house	[háus]	家

舌先を上の歯の裏に近づけて発音しよう（2）

子音 16 [z]   舌先を上の歯の裏に近づけて、「ズ」と声を出す音

発音のポイント

① 舌の先を上の歯の裏に近づけます。

② 舌と歯のすき間から「ズ」と声を出します。

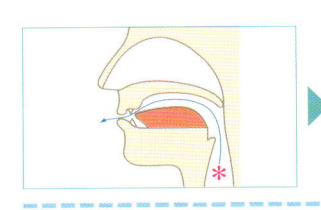

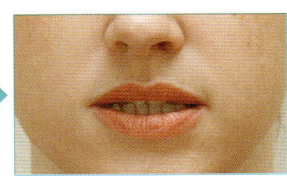

please

[z]の練習　　[z]、[z]、[z]、[z]

単語の練習

zoo	[zúː]	動物園	busy	[bízi]	忙しい
easy	[íːzi]	やさしい	please	[plíːz]	どうぞ

子音

舌先を軽くかんで発音しよう（1）

子音 17 [θ]　舌先を上下の歯で軽くかんで、「ス」と息を出す音

発音のポイント

① 舌の先を上下の歯で軽くかみます。

② 舌と歯のすき間から「ス」と息を出します。

③ [θ]の音が含まれた単語を発音する場合、舌の先を後ろに引いて発音します。

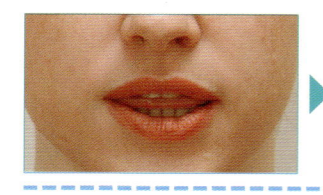

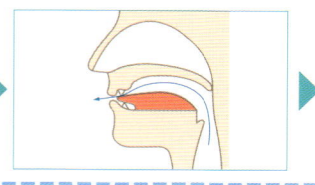

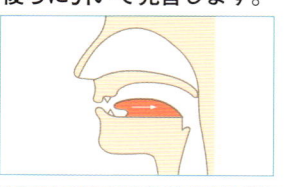

[θ]の練習　　[θ]、[θ]、[θ]、[θ]

単語の練習

thank	[θǽŋk]	～に感謝する	
third	[θə́:rd]	第3の	
birthday	[bə́:rθdèi]	誕生日	
mouth	[máuθ]	口	

舌先を軽くかんで発音しよう（2）

子音 18 [ð]　舌先を上下の歯で軽くかんで、「ズ」と声を出す音

発音のポイント

① 舌の先を上下の歯で軽くかみます。

② 舌と歯のすき間から「ズ」と声を出します。

③ [ð]の音が含まれた単語を発音する場合、舌の先を後ろに引いて発音します。

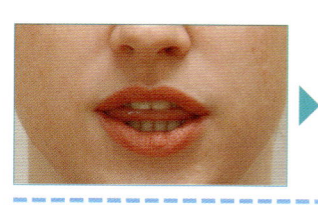

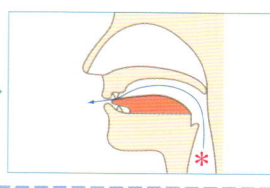

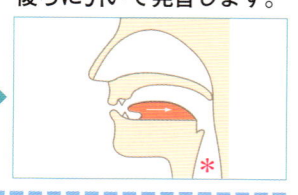

[ð]の練習　　[ð]、[ð]、[ð]、[ð]

単語の練習

they	[ðéi]	彼らは	
this	[ðís]	これ	
mother	[mʌ́ðər]	母	
other	[ʌ́ðər]	ほかの	

舌を上歯ぐきに近づけて発音しよう（1）

子音 19 [ʃ]　舌の前の部分を上の歯ぐきに近づけて、「シ」と息を出す音

発音のポイント

① 唇を少し丸めてつき出してください。

② 舌の前の部分を上の歯ぐきに近づけます。

③ 舌と歯ぐきのすき間から強く「シ」と息を出しましょう。

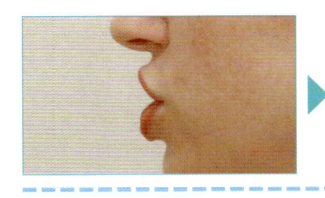

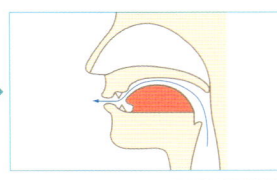

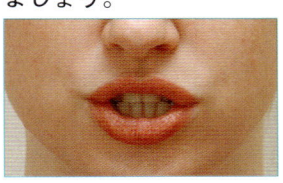

[ʃ]の練習　[ʃ]、[ʃ]、[ʃ]、[ʃ]

単語の練習

she	[ʃíː]	彼女は	show	[ʃóu]	〜を見せる
station	[stéiʃən]	駅	English	[íŋgliʃ]	英語

舌を上歯ぐきに近づけて発音しよう（2）

子音 20 [ʒ]　舌の前の部分を上の歯ぐきに近づけて、「ジ」と声を出す音

発音のポイント

① 唇を少し丸めてつき出してください。

② 舌の前の部分を上の歯ぐきに近づけます。

③ 舌と歯ぐきのすき間から「ジ」と声を出しましょう。

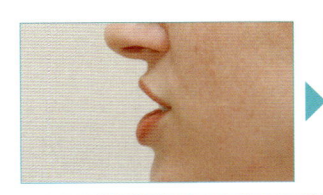

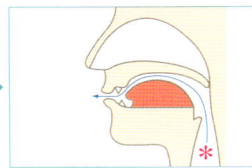

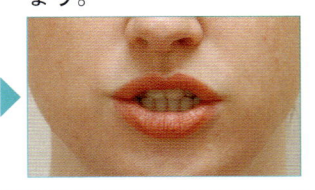

[ʒ]の練習　[ʒ]、[ʒ]、[ʒ]、[ʒ]

単語の練習

pleasure	[pléʒər]	楽しみ	television	[téləvìʒən]	テレビ
treasure	[tréʒər]	宝物	usually	[júːʒuəli]	いつもは

子音　55

上歯ぐきにつけた舌先を離して発音しよう（1）

子音 21 [tʃ]
舌先を上の歯ぐきにつけ、舌を離す時に「チ」と息を出す音

発音のポイント

① 舌の先を上の歯ぐきにつけます。

② 舌を離す時に、「チ」と勢いよく息を出しましょう。

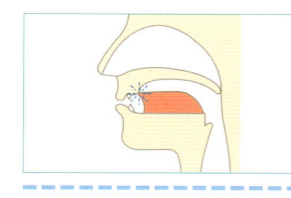

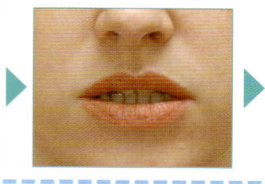

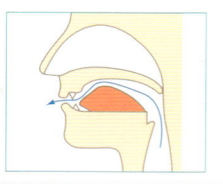

[tʃ]の練習　　[tʃ]、[tʃ]、[tʃ]、[tʃ]

単語の練習

change	[tʃéindʒ]	～を変える	**child**	[tʃáild]	子ども
picture	[píktʃər]	写真	**such**	[sʌ́tʃ]	そのような

上歯ぐきにつけた舌先を離して発音しよう（2）

子音 22 [dʒ]
舌先を上の歯ぐきにつけ、舌を離す時に「ヂ」と声を出す音

発音のポイント

① 舌の先を上の歯ぐきにつけます。

② 舌を離す時に、「ヂ」と声を出しましょう。

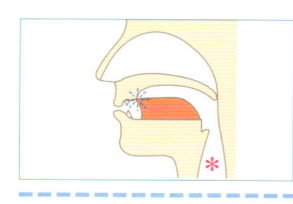

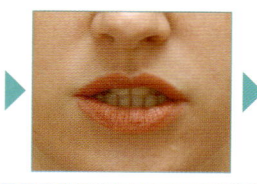

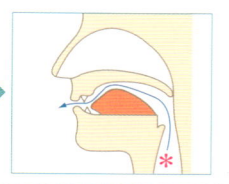

[dʒ]の練習　　[dʒ]、[dʒ]、[dʒ]、[dʒ]

単語の練習

Japan	[dʒəpǽn]	日本	**July**	[dʒulái]	7月
just	[dʒʌ́st]	ちょうど	**large**	[láːrdʒ]	広い

舌の中央を上あごに近づけて発音しよう

子音 23 [j]   舌を上あごに近づけて、そのすき間から「イ」と声を出す音

発音のポイント

① 「ヤ」と発音し始める時の口の形にします。

② 舌の中央を上あごにふれるくらい近づけます。

③ 舌に力を入れ、舌と上あごのすき間から「イ」と声を出しましょう。

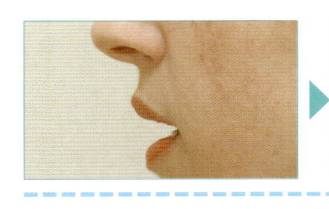

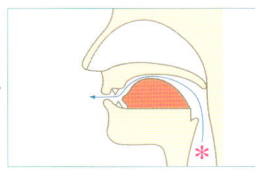

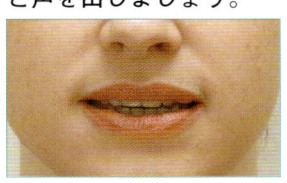

[j]の練習　　[j]、[j]、[j]、[j]

単語の練習

yellow	[jélou]	黄色の	yet	[jét]	(否定文で)まだ(〜ない)
young	[jʌ́ŋ]	若い	million	[míljən]	100万

つき出した唇をもとにもどしながら発音しよう

子音 24 [w]   唇をつき出して、もとにもどしながら「ウ」と声を出す音

発音のポイント

① 唇を丸めて前につき出します。

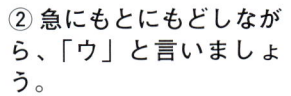

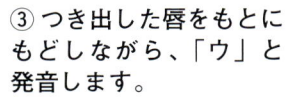

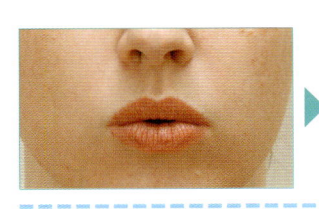

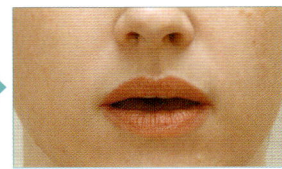

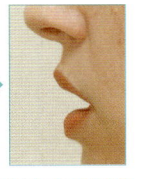

② 急にもとにもどしながら、「ウ」と言いましょう。

③ つき出した唇をもとにもどしながら、「ウ」と発音します。

[w]の練習　　[w]、[w]、[w]、[w]

単語の練習

we	[wíː]	私たちは	week	[wíːk]	週
well	[wél]	上手に	swim	[swím]	泳ぐ

まちがえやすい子音の発音

① **rice** [ráis] ごはん

[r]

舌の先を丸め、舌に力を入れて「ル」と発音します。

② **lice** [láis] louse（しらみ）の複数形

[l]

舌の先を上の歯ぐきにしっかりとつけて、「ル」と発音します。

まちがえやすい子音の発音を比べてみましょう

1　[l] － [r]

[l] ＊舌の先を上の歯ぐきにしっかりとつけて、「ル」と発音します。

[r] ＊舌の先を丸め、舌に力を入れて「ル」と発音します。

| lead [líːd] ～を導く | read [ríːd] ～を読む |
| light [láit] 光 | right [ráit] 正しい |

2　[p] － [b]

[p] ＊唇を閉じてから、急に離して「プッ」と息を出します。

[b] ＊唇を閉じてから、急に離して「ブッ」と声を出します。

| pair [péər] 一組 | bear [béər] くま |
| pea [píː] えんどう(豆) | bee [bíː] みつばち |

3　[t] － [d]

[t] ＊舌の先を上の歯ぐきにつけ、急に離して「トゥ」と息を出します。

[d] ＊舌の先を上の歯ぐきにつけ、急に離して「ドゥ」と声を出します。

| town [táun] 町 | down [dáun] 下へ |
| try [trái] ～をためしてみる | dry [drái] かわいた |

4　[k] － [g]

[k] ＊舌の後ろを上あごの奥につけ、急に離して「クッ」と息を出します。

[g] ＊舌の後ろを上あごの奥につけ、急に離して「グッ」と声を出します。

| class [klǽs] クラス | glass [glǽs] グラス |
| cold [kóuld] 寒い | gold [góuld] 金 |

まちがえやすい子音の発音を比べてみましょう

5　[m] － [n]

[m] ＊唇をしっかり閉じたまま、鼻から「ム」と声を出します。

[n] ＊口を少し開け、舌の先を上の歯ぐきにつけて鼻から「ヌ」と声を出します。

| mail [méil] 郵便 | nail [néil] つめ |
| map [mǽp] 地図 | nap [nǽp] 昼寝 |

6　[g] － [ŋ]

[g] ＊舌の後ろを上あごの奥につけ、急に離して「グッ」と声を出します。

[ŋ] ＊舌の後ろを上あごの奥につけ、鼻から「ング」と声を出します。

| bag [bǽg] かばん | bang [bǽŋ] ～をばたんと閉める |
| wig [wíg] かつら | wing [wíŋ] つばさ |

7　[f] － [v]

[f] ＊上の歯で下唇を軽く押さえ、そのすき間から「フ」と息を出します。

[v] ＊上の歯で下唇を軽く押さえ、そのすき間から「ヴ」と声を出します。

| fast [fǽst] 速い | vast [vǽst] 広大な |
| few [fjúː] ほとんどない | view [vjúː] 景色 |

8　[b] － [v]

[b] ＊唇を閉じてから、急に離して「ブッ」と声を出します。

[v] ＊上の歯で下唇を軽く押さえ、そのすき間から「ヴ」と声を出します。

| base [béis] 土台 | vase [véis] 花びん |
| bat [bǽt] バット | vat [vǽt] 大おけ |

9　[h] − [f]

[h] ＊口を自然に開け、のどの奥から「ハッ」と息を出します。

[f] ＊上の歯で下唇を軽く押さえ、そのすき間から「フ」と息を出します。

hill	[híl]	丘	fill	[fíl]	〜を満たす
honey	[hʌ́ni]	はちみつ	funny	[fʌ́ni]	おかしい

10　[s] − [θ]

[s] ＊舌の先を上の歯の裏に近づけて、そのすき間から「ス」と息を出します。

[θ] ＊舌の先を上下の歯で軽くかんで、そのすき間から「ス」と息を出します。

sick	[sík]	病気の	thick	[θík]	厚い
some	[sʌ́m]	いくらかの	thumb	[θʌ́m]	(手の)親指

11　[θ] − [ð]

[θ] ＊舌の先を上下の歯で軽くかんで、そのすき間から「ス」と息を出します。

[ð] ＊舌の先を上下の歯で軽くかんで、そのすき間から「ズ」と声を出します。

breath	[bréθ]	呼吸	breathe	[brí:ð]	呼吸する
mouth	[máuθ]	口	mouth	[máuð]	気取って言う

12　[s] − [ʃ]

[s] ＊舌の先を上の歯に近づけて、そのすき間から「ス」と息を出します。

[ʃ] ＊舌の前の部分を上の歯ぐきに近づけて、そのすき間から「シ」と息を出します。

seat	[sí:t]	席	sheet	[ʃí:t]	シーツ
see	[sí:]	〜が見える	she	[ʃí:]	彼女は

まちがえやすい子音の発音を比べてみましょう

13　[ʃ] − [tʃ]

[ʃ] ＊舌の前の部分を上の歯ぐきに近づけて、そのすき間から「シ」と息を出します。

[tʃ] ＊舌の先を上の歯ぐきにつけ、舌を離す時に「チ」と息を出します。

| share | [ʃéər] | 〜を分ける | chair | [tʃéər] | いす |
| ship | [ʃíp] | 船 | chip | [tʃíp] | 切れはし |

14　[tʃ] − [dʒ]

[tʃ] ＊舌の先を上の歯ぐきにつけ、舌を離す時に「チ」と息を出します。

[dʒ] ＊舌の先を上の歯ぐきにつけ、舌を離す時に「ヂ」と声を出します。

| chain | [tʃéin] | くさり | Jane | [dʒéin] | ジェーン(女性の名) |
| cheap | [tʃíːp] | 安い | jeep | [dʒíːp] | ジープ |

15　単語の初めに[j]を加えた発音

[j] ＊左の単語の初めに [j] の発音を加えたのが右の単語です。[j] は舌の中央を上あごに近づけ、舌に力を入れて「イ」と発音します。year [jíər](ィヤァ)を発音する場合は、「ィ」を弱く「ヤ」を強く言い、「ァ」と言う時に舌を少し丸めます。

| ear | [íər] | 耳 | year | [jíər] | 年 |
| S | [és] | エス | yes | [jés] | はい |

16　単語の初めに[w]を加えた発音

[w] ＊左の単語の初めに [w] の発音を加えたのが右の単語です。[w] は唇を丸めて前につき出し、急にもとにもどしながら「ウ」と発音します。

| all | [ɔ́ːl] | すべての | wall | [wɔ́ːl] | かべ |
| eight | [éit] | 8 | wait | [wéit] | 待つ |

基礎編

本とCDで正しい発音を身につけよう

母音
VOWELS

1	[æ]	ant
2	[ʌ]	bus
3	[ɑ]	hot
4	[ɑː]	father
5	[ɑːr]	arm
6	[əːr]	bird
7	[ə]	about
8	[ər]	teacher
9	[i]	fish
10	[iː]	east
11	[u]	book
12	[uː]	cool
13	[e]	egg

14	[ɔː]	all
15	[ɔːr]	order
16	[ai]	nice
17	[aiər]	fire
18	[au]	cow
19	[auər]	power
20	[ei]	name
21	[ɔi]	coin
22	[ou]	coat
23	[juː]	use
24	[iər]	ear
25	[uər]	sure
26	[eər]	air

1 [æ]の発音

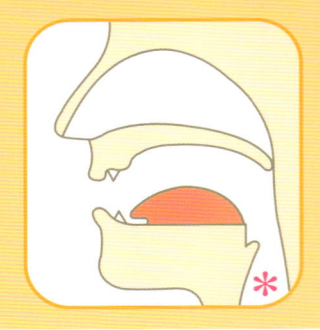

[æ]、[æ]、[æ]、[æ] **ant** [ǽnt] あり
「ア」の口の形であごを思いきり下げて
「エ」と言ってみよう

[æ] の発音を練習しましょう。

　[æ]は日本語の「ア」と「エ」の中間の音です。「ア」の口の形で「エー」と言いながら思いきりあごを下げ、唇を左右に軽く引いて[æ]の発音をしましょう。[æ]はaとeを合わせたもので、「ア」と「エ」の中間の音だということを表しています。

CD 1 Track 2

CD を聞きながら単語の発音練習をしましょう。

〈[æ]で始まる語〉

❶ add	[ǽd]	～を加える	❷ album	[ǽlbəm]	アルバム
❸ angry	[ǽŋgri]	怒った	❹ animal	[ǽnəməl]	動物
❺ atlas	[ǽtləs]	地図帳	❻ ax	[ǽks]	おの

〈[æ]が中間にある語〉

❼ bag	[bǽg]	かばん	❽ bat	[bǽt]	バット
❾ cat	[kǽt]	ねこ	❿ family	[fǽmli]	家族
⓫ glad	[glǽd]	うれしい	⓬ hand	[hǽnd]	手
⓭ Japan	[dʒəpǽn]	日本	⓮ rabbit	[rǽbit]	(飼い)うさぎ
⓯ sad	[sǽd]	悲しい	⓰ stamp	[stǽmp]	切手

64　母音

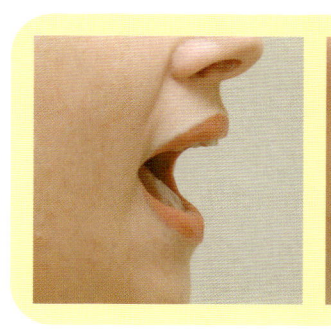

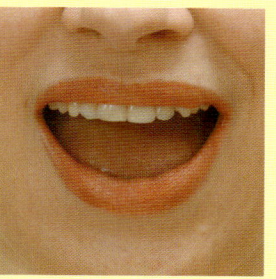

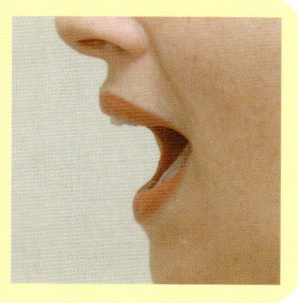

P [æ]と[e]の発音を比べてみましょう。

[æ]は「ア」の口の形であごを下げて「エ」と発音します。[e]はつまったような感じで、はっきり「エ」と言います。badとbedの発音の違いは[æ]と[e]だけですが、意味は全く異なります。[æ]と[e]の違いに注意して発音しましょう。

CD 1 Track 2

	[æ]				[e]	
⑰ bad	[bǽd]	悪い		bed	[béd]	ベッド
⑱ man	[mǽn]	男性		men	[mén]	manの複数形
⑲ pan	[pǽn]	なべ		pen	[pén]	ペン
⑳ sand	[sǽnd]	砂		send	[sénd]	～を送る
㉑ tan	[tǽn]	日焼け		ten	[tén]	10

[æ] の言葉遊びをしましょう。

㉒ **Ann had an apple.**
アンはりんごを食べました。

㉓ **Ann had apple jam.**
アンはりんごジャムを食べました。

㉔ **Ann had an apple jam sandwich.**
アンはりんごジャムサンドイッチを食べました。

[æ]の発音

[æ]の発音とつづり字

基礎1 [æ]はたいていaとつづります。

〈aと書いて[æ]と発音する語〉

❶ back [bǽk] 背中
❷ cap [kǽp] （ふちのない）帽子
❸ catch [kǽtʃ] 〜をつかまえる
❹ flag [flǽg] 旗
❺ ham [hǽm] ハム
❻ stand [stǽnd] 立つ

基礎2 マジックe （148頁参照）

つづり字 a は[ei　エィ]とも発音します。a の発音が[æ]か[ei]かは、次のように区別します。

can[kǽn　キャン]（缶）にeをつけて、cane[kéin　ケイン]（つえ）にすると、a の発音が[æ　ア]から[ei　エィ]に変わります。[æ]の発音を[ei]に変える働きをするので、単語の終わりにある e を「マジックe」と言います。このeは発音しないので、「サイレントe」とも呼ばれています。

語尾に e がつくと、a の発音が[æ]から[ei]に変わる単語の例

a の発音
[æ　ア] ⟶ [ei　エィ]

❼ mat [mǽt] マットゥ マット　　mate [méit] メイトゥ 仲間
❽ plan [plǽn] プラン 計画　　plane [pléin] プレイン 飛行機
❾ rat [rǽt] ラットゥ ねずみ　　rate [réit] レイトゥ 割合
❿ tap [tǽp] タップ 〜を軽くたたく　　tape [téip] テイプ テープ

このように、〈a＋子音字1つ＋e〉で単語が終わる場合、a を [ei] と発音することがよくあります。これを「マジックe」のルールと呼びます。このルールには、have [hæv ハヴ]（〜を持っている）などの例外がありますので、注意しましょう。

つづり字 a の発音問題では、a を [æ] と発音するか [ei] と発音するかがポイントになります。「マジックe」のルールを参考にして、次の練習問題をやってみましょう。

CD 1 Track 3

練習問題

A. 各組の単語の下線部の発音が同じなら○、違うなら×と答えてください。

⑪ { pl<u>a</u>n / pl<u>a</u>ne }　⑫ { b<u>a</u>g / gl<u>a</u>d }　⑬ { c<u>a</u>p / t<u>a</u>pe }

B. 各組の単語で下線部の発音が他と違うものを1つ選んでください。

⑭　1. <u>a</u>nimal　2. b<u>a</u>t　3. c<u>a</u>ne　4. <u>a</u>ngry
⑮　1. f<u>a</u>mily　2. c<u>a</u>t　3. st<u>a</u>mp　4. m<u>a</u>te
⑯　1. r<u>a</u>te　2. s<u>a</u>d　3. <u>a</u>lbum　4. h<u>a</u>nd

答え　A.（11）×　（12）○　（13）×　　B.（14）3　（15）4　（16）1

[æ] の発音

2 [ʌ]の発音

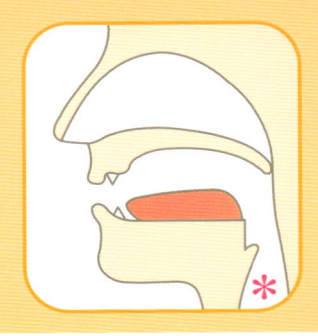

[ʌ]、[ʌ]、[ʌ]、[ʌ] **bus** [bʌ́s] バス
似ているね、「アッ」と短く言う音に

[ʌ] の発音を練習しましょう。

口をあまり開けず、口の奥の方でつまったような感じで、はき出すように短く「ア」と言いましょう。何かを突然思い出して、「アッ、そうだ！」と言う時の「アッ」の音に似ています。

CD 1 Track 4

CD を聞きながら単語の発音練習をしましょう。

〈[ʌ]で始まる語〉

❶ oven [ʌ́vən] オーブン
❷ uncle [ʌ́ŋkl] おじ
❸ under [ʌ́ndər] ～の下に
❹ up [ʌ́p] 上へ

〈[ʌ]が中間にある語〉

❺ brush [brʌ́ʃ] ブラシ
❻ butter [bʌ́tər] バター
❼ country [kʌ́ntri] 国
❽ cup [kʌ́p] カップ
❾ enough [inʌ́f] 十分な
❿ front [frʌ́nt] 正面
⓫ hungry [hʌ́ŋgri] 空腹の
⓬ jump [dʒʌ́mp] とぶ
⓭ lunch [lʌ́ntʃ] 昼食
⓮ money [mʌ́ni] 貨幣
⓯ study [stʌ́di] ～を勉強する
⓰ Sunday [sʌ́ndèi] 日曜日
⓱ touch [tʌ́tʃ] ～にさわる
⓲ wonderful [wʌ́ndərfəl] すばらしい

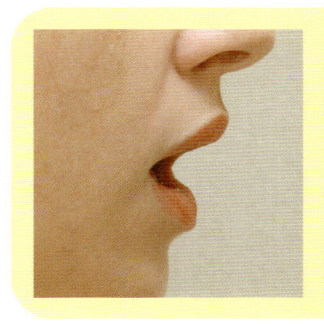

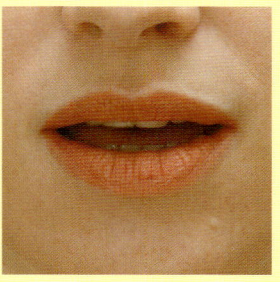

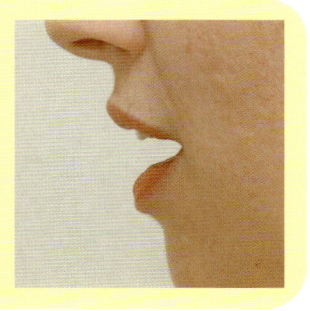

P [ʌ]と[æ]の発音を比べてみましょう。

　日本語の「アッ」に似た[ʌ]と、「ア」と「エ」の中間の音[æ]の違いをはっきりと区別して発音しましょう。hut [hʌt]とhat [hæt]を、同じように「ハットゥ」と発音しないように気をつけてください。

	[ʌ]			[æ]	
⑲ but	[bʌt]	しかし	bat	[bæt]	バット
⑳ cut	[kʌt]	～を切る	cat	[kæt]	ねこ
㉑ fun	[fʌn]	おもしろいこと	fan	[fæn]	うちわ
㉒ hut	[hʌt]	小屋	hat	[hæt]	（ふちのある）帽子
㉓ luck	[lʌk]	運	lack	[læk]	不足

[ʌ] の言葉遊びをしましょう。

㉔ **Lucky loves the summer.**
　　　　　　ラッキーは夏が大好き。
㉕ **Lucky loves the summer sun.**
　　　　　　ラッキーは夏の太陽が大好き。
㉖ **Lucky loves the summer sun so much.**
　　　　　　ラッキーは夏の太陽がとっても大好き。

[ʌ] の発音とつづり字

基礎 1 [ʌ] はふつう u とつづります。

〈u と書いて [ʌ] と発音する語〉

① bud [bʌ́d] つぼみ
② club [klʌ́b] クラブ
③ custom [kʌ́stəm] 慣習
④ discuss [diskʌ́s] 〜を話し合う
⑤ lung [lʌ́ŋ] 肺
⑥ mud [mʌ́d] 泥
⑦ public [pʌ́blik] 公共の
⑧ shut [ʃʌ́t] 〜を閉める
⑨ subway [sʌ́bwèi] 地下鉄
⑩ such [sʌ́tʃ] そのような
⑪ truck [trʌ́k] トラック
⑫ trust [trʌ́st] 〜を信頼する

基礎 2 [ʌ] を o、ou とつづる場合もあります。

〈o と書いて [ʌ] と発音する語〉

⑬ among [əmʌ́ŋ] 〜の中に
⑭ brother [brʌ́ðər] 兄、弟
⑮ color [kʌ́lər] 色
⑯ company [kʌ́mpəni] 会社
⑰ honey [hʌ́ni] はちみつ
⑱ monkey [mʌ́ŋki] さる
⑲ mother [mʌ́ðər] 母
⑳ son [sʌ́n] 息子

〈ou と書いて [ʌ] と発音する語〉

㉑ couple [kʌ́pl] カップル
㉒ cousin [kʌ́zn] いとこ
㉓ double [dʌ́bl] 2倍の
㉔ southern [sʌ́ðərn] 南の
㉕ trouble [trʌ́bl] 困難
㉖ young [jʌ́ŋ] 若い

Notes

① つづり字 oo は、ふつう [uː]（ウー）か [u]（ウ）と発音しますが、blood [blʌ́d　ブラッドゥ]（血）と flood [flʌ́d　フラッドゥ]（洪水）の oo は、例外的に [ʌ] と発音します。

② does [dʌ́z　ダズ]（do の3人称単数現在形）の oe も例外的に [ʌ] と発音します。

③ [ʌ] はふつう u とつづりますが、o とつづることもあるので、sun（太陽）も son（息子）も同じ発音、[sʌ́n　サン] になります。このように、発音が同じで意味の異なる語を同音異義語と言います。

CD 1 Track 5

練習問題

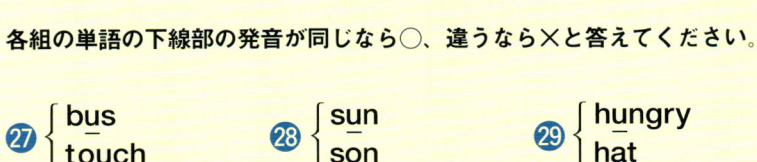

各組の単語の下線部の発音が同じなら○、違うなら×と答えてください。

㉗ { b<u>u</u>s / t<u>ou</u>ch }　㉘ { s<u>u</u>n / s<u>o</u>n }　㉙ { h<u>u</u>ngry / h<u>a</u>t }

㉚ { c<u>a</u>t / c<u>u</u>p }　㉛ { w<u>o</u>nderful / c<u>ou</u>ntry }　㉜ { fl<u>oo</u>d / m<u>o</u>ney }

㉝ { fr<u>o</u>nt / <u>u</u>ncle }　㉞ { l<u>u</u>nch / l<u>a</u>ck }　㉟ { en<u>ough</u> / st<u>u</u>dy }

答え　(27)○　(28)○　(29)×　(30)×　(31)○　(32)○　(33)○　(34)×　(35)○

[ʌ]の発音

3 [ɑ]の発音

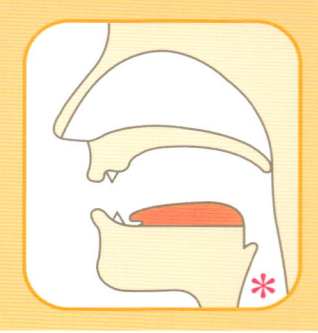

[ɑ]、[ɑ]、[ɑ]、[ɑ] **hot** [hɑ́t] 暑い
指が2本入るくらい口を大きく開け
「ア」と言ってみよう

[ɑ] の発音を練習しましょう。

CD 1 Track 6

あくびをする時のように、指が縦に2本入るくらい口を大きく開けてください。のどの奥の方から「ア」と言うと、[ɑ]の発音になります。この[ɑ]はアメリカ発音で、イギリス発音では[ɔ]が使われます。[ɔ]は唇を少し丸めて「オ」と言います。

CD を聞きながら単語の発音練習をしましょう。

〈[ɑ]で始まる語〉

1. object [ɑ́bdʒikt] 物
2. octopus [ɑ́ktəpəs] たこ
3. operate [ɑ́pərèit] ～を動かす
4. ox [ɑ́ks] 雄牛

〈[ɑ]が中間にある語〉

5. body [bɑ́di] 体
6. box [bɑ́ks] 箱
7. copy [kɑ́pi] 写し
8. dollar [dɑ́lər] ドル
9. follow [fɑ́lou] ～に従う
10. holiday [hɑ́lədèi] 休日
11. lot [lɑ́t] たくさん
12. pond [pɑ́nd] 池
13. problem [prɑ́bləm] 問題
14. rock [rɑ́k] 岩
15. sock [sɑ́k] 靴下
16. top [tɑ́p] 頂上

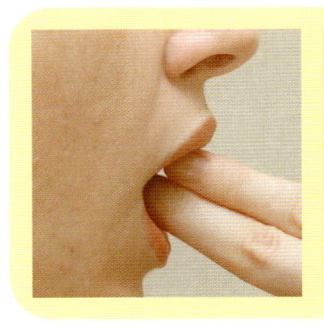

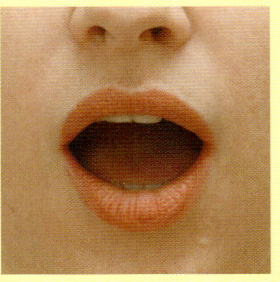

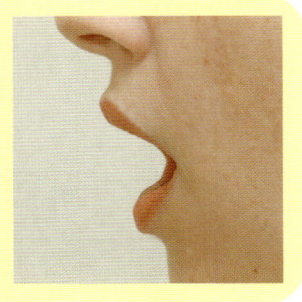

P [ʌ]と[ɑ]の発音を比べてみましょう。

「ア」と短くつまったように言うと[ʌ]の発音になります。あくびをする時のように大きく口を開けて「ア」と言うと、[ɑ]の発音をすることができます。

[ʌ]
⑰ color [kʌlər] 色
⑱ duck [dʌk] あひる
⑲ fund [fʌnd] 基金
⑳ hut [hʌt] 小屋
㉑ luck [lʌk] 運
㉒ nut [nʌt] 木の実

[ɑ]
collar [kálər] えり
dock [dák] 波止場
fond [fánd] 好んで
hot [hát] 暑い
lock [lák] 〜にかぎをかける
not [nát] 〜でない

[ɑ] の言葉遊びをしましょう。

㉓ **Tom stopped at a shop.**
トムは店に寄りました。
㉔ **Tom stopped at a watch shop.**
トムは時計店に寄りました。
㉕ **Tom stopped at a watch shop and got a popular watch.**
トムは時計店に寄り人気のある腕時計を買いました。

CD 1 Track 6

[ɑ] の発音とつづり字

基礎1 [ɑ]はふつう o とつづります。

〈o と書いて [ɑ] と発音する語〉

① block [blák] 積み木　② fox [fáks] きつね
③ job [dʒáb] 仕事　④ model [mádl] 模型
⑤ pot [pát] つぼ　⑥ rod [rád] 棒

基礎2 マジックe（148頁参照）

つづり字 o は [ou　オゥ] とも発音します。o の発音が [ɑ] か [ou] かは、次のように区別します。

hop [háp　ハップ]（ぴょんととぶ）に e をつけて、hope [hóup　ホウプ]（希望）にすると、o の発音が [ɑ　ア] から [ou　オゥ] に変わります。[ɑ] を [ou] に変える働きをするので、単語の終わりにある e を「マジックe」と言います。この e は発音しません。

語尾に e がつくと、o の発音が [ɑ] から [ou] に変わる単語の例

　　　　　　　　　　　　　o の発音
　　　　　[ɑ　　ア　　]　　――→　　[ou　　オゥ　]
⑦ mop　[máp　マップ] モップ　　mope [móup　モウプ] ふさぎ込む
⑧ not　[nát　ナットゥ] ～でない　note [nóut　ノウトゥ] メモ

74　母音

> **発展** [ɑ]をaとつづることがあります。この場合、aはqu、wの後にくることが多いです。

〈quの後にくるaを[ɑ]と発音する語〉

- ❾ equality [ikwɑ́ləti] 平等
- ❿ quality [kwɑ́ləti] 質
- ⓫ quantity [kwɑ́ntəti] 量
- ⓬ squat [skwɑ́t] しゃがむ

〈wの後にくるaを[ɑ]と発音する語〉

- ⓭ swallow [swɑ́lou] つばめ
- ⓮ swan [swɑ́n] 白鳥
- ⓯ wallet [wɑ́lit] 札入れ
- ⓰ wander [wɑ́ndər] 歩きまわる

Notes knowledge [nɑ́lidʒ ナレッヂ] (知識) の ow は、例外的に [ɑ] と発音します。

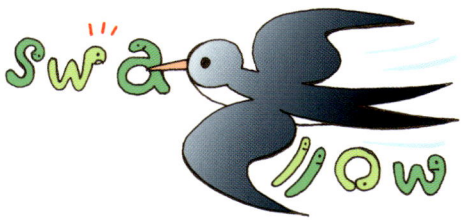

CD 1 Track 7

練習問題

各組の単語の下線部の発音が同じなら○、違うなら×と答えてください。

- ⓱ { swall_ow / sh_op }
- ⓲ { n_ot / n_ote }
- ⓳ { w_onderful / b_ox }
- ⓴ { h_ot / h_ope }
- ㉑ { sw_an / _animal }
- ㉒ { p_ond / t_op }

答え　(17)○　(18)×　(19)×　(20)×　(21)×　(22)○

4 [ɑ:]の発音

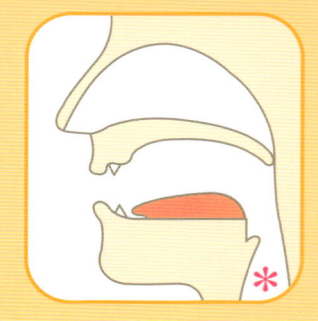

[ɑ:]、[ɑ:]、[ɑ:]、[ɑ:] father [fá:ðər] 父
口を大きく開けて「アー」と
言ってみよう

[ɑ:] の発音を練習しましょう。

口を大きく開けて、のどの奥の方から「アー」と言いましょう。[ɑ:]の2つの点[:]は、音をのばすことを表し、長音記号と呼ばれています。

CD 1 Track 8

CD を聞きながら単語の発音練習をしましょう。

❶ aha　　[ɑ:há:]　　あはあ（驚き、喜び、勝利などの気持ちを表す）
❷ almond　[á:mənd]　アーモンド
❸ calm　　[ká:m]　　おだやかな　❹ father　[fá:ðər]　父
❺ psalm　 [sá:m]　　賛美歌　　　❻ spa　　[spá:]　　温泉

[ɑ:] の言葉遊びをしましょう。

❼ There are palms.
　　　　　やしの木があります。
❽ There are palms and a calm sea.
　　　　　やしの木とおだやかな海があります。
❾ There are palms and a calm sea in Bali.
　　　　　バリ島にはやしの木とおだやかな海があります。

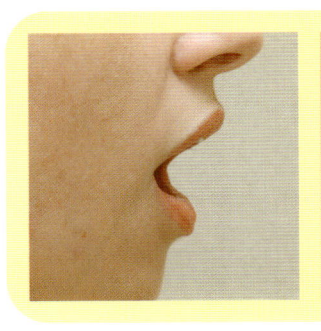

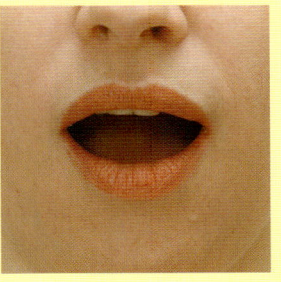

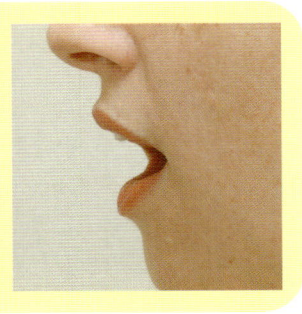

[ɑː] の発音とつづり字

基礎　[ɑː] はふつう a とつづります。

CD 1 Track 9

〈a と書いて [ɑː] と発音する語〉

1. balm [bɑ́ːm] 香油
2. becalm [bikɑ́ːm] 風がないで(帆船を)止める
3. fatherly [fɑ́ːðərli] 父としての
4. Oahu [ouɑ́ːhuː] オアフ島

練習問題

各組の単語の下線部の発音が同じなら○、違うなら×と答えてください。

5. { p<u>a</u>lm / b<u>a</u>lm }
6. { b<u>a</u>g / f<u>a</u>ther }
7. { h<u>a</u>nd / c<u>a</u>lm }

答え　(5)○　(6)×　(7)×

[ɑː] の発音　77

5 [ɑ:r]の発音

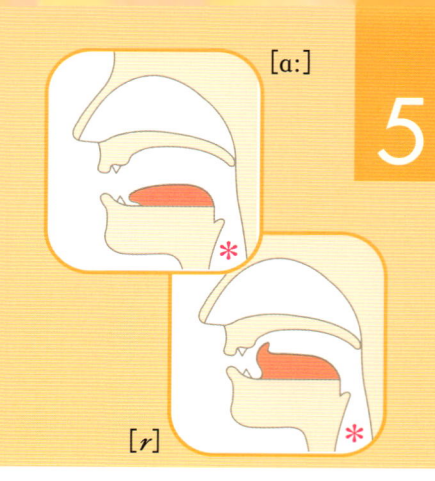

[ɑ:r]、[ɑ:r]、[ɑ:r]、[ɑ:r]
arm [á:rm] 腕
口を大きく開けて「アー」と言いながら、舌先を少し丸めよう

[ɑ:r] の発音を練習しましょう。

CD1 Track 10

口を大きく開けて「アー」と言いながら、舌の先を少し巻き上げてください。舌の先を丸めると[r]の発音ができます。この[r]を発音する時は、口を少し閉じるようにしましょう。

CD を聞きながら単語の発音練習をしましょう。

〈[ɑ:r]で始まる語〉
- ❶ argue [á:rgju:] 言い争う
- ❷ art [á:rt] 芸術

〈[ɑ:r]が中間にある語〉
- ❸ carp [ká:rp] 鯉(こい)
- ❹ dark [dá:rk] 暗い
- ❺ farm [fá:rm] 農場
- ❻ hard [há:rd] 難しい
- ❼ heart [há:rt] 心
- ❽ large [lá:rdʒ] 広い
- ❾ market [má:rkit] 市場
- ❿ start [stá:rt] 出発する

〈[ɑ:r]で終わる語〉
- ⓫ car [ká:r] 車
- ⓬ guitar [gitá:r] ギター

78　母音

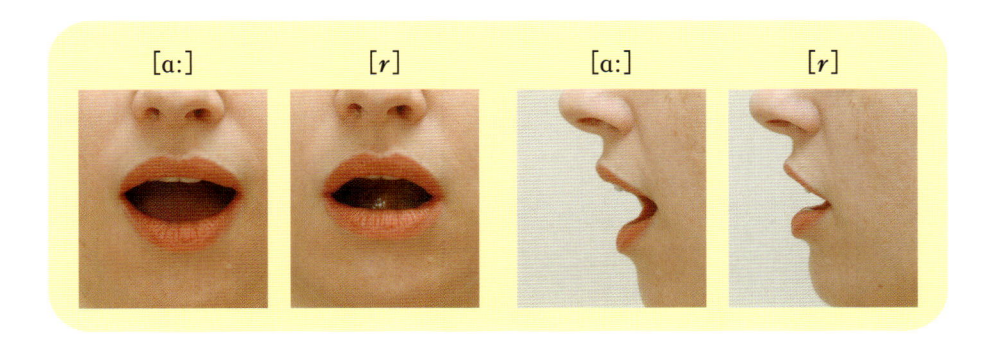

P [ɑ]と[ɑːr]の発音を比べてみましょう。

[ɑ]と[ɑːr]を発音する時は、口を大きく開けましょう。[ɑ]は「ア」と言い、[ɑːr]は「アー」と言いながら舌の先を少し丸めます。

		[ɑ]				[ɑːr]	
⑬	cod	[kád]	たら	card	[káːrd]	カード
⑭	dot	[dát]	(小さな)点	dart	[dáːrt]	投げ矢
⑮	lock	[lák]	～にかぎをかける	lark	[láːrk]	ひばり
⑯	pot	[pát]	つぼ	part	[páːrt]	部分
⑰	shop	[ʃáp]	店	sharp	[ʃáːrp]	するどい

[ɑːr] の言葉遊びをしましょう。

⑱ **Let's have a party.**
　　　　　　　パーティーをしましょう。
⑲ **Let's have a garden party.**
　　　　　　　ガーデンパーティーをしましょう。
⑳ **Let's have a large garden party.**
　　　　　　　大きなガーデンパーティーをしましょう。
㉑ **Let's have a large garden party in March.**
　　　　　　　3月に大きなガーデンパーティーをしましょう。

[ɑːr]の発音とつづり字

基礎　[ɑːr]はふつう ar とつづります。

###〈arと書いて [ɑːr]と発音する語〉

1. carpet　[kάːrpit]　カーペット
2. far　[fάːr]　遠くに
3. harp　[hάːrp]　ハープ
4. mark　[mάːrk]　記号
5. parcel　[pάːrsl]　小包
6. shark　[ʃάːrk]　さめ
7. star　[stάːr]　星
8. yarn　[jάːrn]　織り糸

Notes　ear はふつう[iər　イャァ]と発音しますが、heart [hάːrt　ハートゥ]（心）の ear は例外的に[ɑːr]と発音します。

CD 1 Track 11

練習問題

各組の単語の下線部の発音が同じなら○、違うなら×と答えてください。

9. { h<u>ar</u>d / h<u>ear</u>t }
10. { st<u>ar</u>t / st<u>a</u>mp }
11. { <u>ar</u>m / guit<u>ar</u> }

答え　（9）○　（10）×　（11）○

80　母音

6 [əːr]の発音

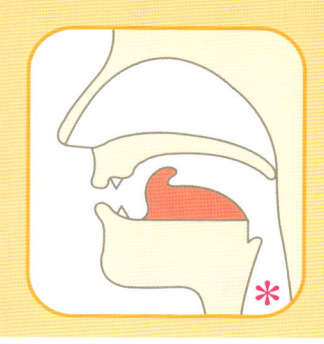

[əːr]、[əːr]、[əːr]、[əːr] **bird** [bə́ːrd] 鳥
口を少し開け、舌先を丸めて
「アー」と言ってみよう

[əːr]の発音を練習しましょう。

口を少し開け、舌の先を後ろの方へ丸めて、口の奥の方に引きこむようにします。唇と舌に力を入れて、「アー」と言いましょう。[əːr]は単語の中で強く発音する部分にあります。

CD 1 Track 12

CD を聞きながら単語の発音練習をしましょう。

〈[əːr]で始まる語〉

❶ early [ə́ːrli] 早く
❷ earn [ə́ːrn] 〜をかせぐ
❸ earth [ə́ːrθ] 地球
❹ urban [ə́ːrbən] 都市の

〈[əːr]が中間にある語〉

❺ church [tʃə́ːrtʃ] 教会
❻ first [fə́ːrst] 最初の
❼ girl [gə́ːrl] 少女
❽ learn [lə́ːrn] 〜を学ぶ
❾ person [pə́ːrsn] 人
❿ shirt [ʃə́ːrt] ワイシャツ
⓫ turn [tə́ːrn] まわる
⓬ university [jùːnəvə́ːrsəti] 大学
⓭ word [wə́ːrd] 単語
⓮ work [wə́ːrk] 働く

〈[əːr]で終わる語〉

⓯ fur [fə́ːr] 毛皮
⓰ prefer [prifə́ːr] 〜のほうを好む

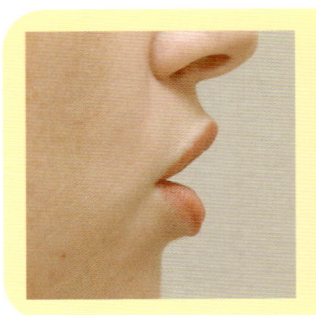

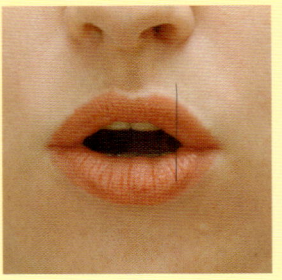

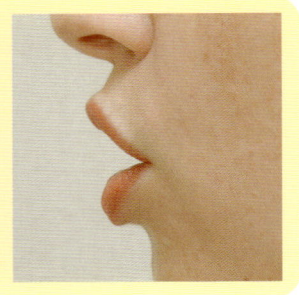

P [ə:r]と[ɑ:r]の発音を比べてみましょう。

　[ə:r]は口を少し開け、舌先を丸め唇と舌に力を入れて「アー」と言います。
[ɑ:r]は口を大きく開けて、「アー」と言いながら舌の先を少し巻いて発音します。

	[ə:r]				[ɑ:r]	
⑰ burn	[bə́:rn]	燃える		barn	[bɑ́:rn]	納屋
⑱ curve	[kə́:rv]	曲線		carve	[kɑ́:rv]	〜を彫る
⑲ firm	[fə́:rm]	かたい		farm	[fɑ́:rm]	農場
⑳ heard	[hə́:rd]	hearの過去・過去分詞形		hard	[hɑ́:rd]	難しい
㉑ hurt	[hə́:rt]	痛む		heart	[hɑ́:rt]	心
㉒ stir	[stə́:r]	〜をかきまわす		star	[stɑ́:r]	星

[ə:r]の言葉遊びをしましょう。

㉓ A mermaid got a pearl.
　　　　　　　人魚は真珠をもらいました。
㉔ A mermaid got a pearl on her birthday.
　　　　　　　人魚は誕生日に真珠をもらいました。
㉕ A mermaid got a pearl on her first birthday.
　　　　　　　人魚は初めての誕生日に真珠をもらいました。

[əːr]の発音とつづり字

基礎1 [əːr]はふつうer、ir、urとつづります。

〈er、ir、urと書いて[əːr]と発音する語〉

① hers [hə́ːrz] 彼女のもの
② term [tə́ːrm] 期間
③ circle [sə́ːrkl] 円
④ third [θə́ːrd] 第3の
⑤ curl [kə́ːrl] 巻き毛
⑥ Thursday [θə́ːrzdèi] 木曜日

基礎2 [əːr]はorともつづります。この場合、wの後にorがきます。

〈orと書いて[əːr]と発音する語〉

⑦ world [wə́ːrld] 世界
⑧ worm [wə́ːrm] (みみずなどの)虫

基礎3 [əːr]をearとつづる場合もあります。

〈earと書いて[əːr]と発音する語〉

⑨ earnest [ə́ːrnist] まじめな
⑩ heard [hə́ːrd] hearの過去・過去分詞形

Notes journey [dʒə́ːrni チャーニィ] (旅行) と journal [dʒə́ːrnl チャーヌル] (雑誌) のour は[əːr]と発音します。

練習問題

各組の単語の下線部の発音が同じなら○、違うなら×と答えてください。

⑪ { heard / heart }　⑫ { girl / work }　⑬ { learn / turn }

答え　(11)×　(12)○　(13)○

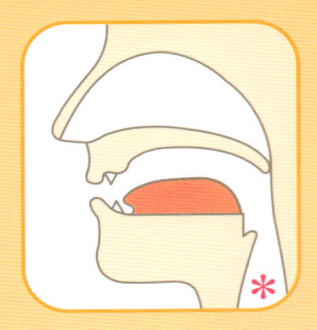

7 [ə]の発音

[ə]、[ə]、[ə]、[ə]
about [əbáut] 〜について
弱く短く「ァ」と言ってみよう

[ə] の発音を練習しましょう。

唇や舌に力を入れないで、弱く短く「ァ」と言うと[ə]の発音になります。[ə]は単語のアクセントのない部分にありますので、次の発音練習でも[ə]を弱く発音してください。

CD 1 Track 14

CD を聞きながら単語の発音練習をしましょう。

〈[ə]で始まる語〉

❶ ago [əgóu] 〜前に
❷ alone [əlóun] 1人で

〈[ə]が中間にある語〉

❸ April [éiprəl] 4月
❹ autumn [ɔ́:təm] 秋
❺ breakfast [brékfəst] 朝食
❻ continue [kəntínju:] 続く
❼ famous [féiməs] 有名な
❽ melon [mélən] メロン
❾ moment [móumənt] 瞬間
❿ possible [pásəbl] 可能な
⓫ succeed [səksí:d] 成功する
⓬ woman [wúmən] 女性

〈[ə]で終わる語〉

⓭ extra [ékstrə] 余分な
⓮ sofa [sóufə] ソファー

✏️ [ə]の発音とつづり字

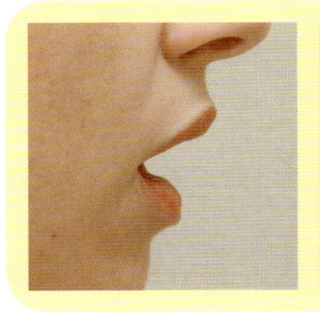

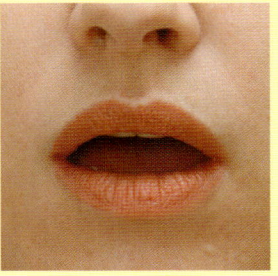

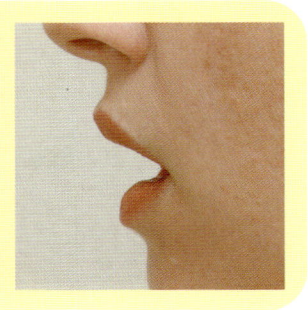

基礎 [ə]のつづり字は a、e、i、o、u、ou などです。

CD 1 Track 15

〈a、e、i、o、u、ou と書いて[ə]と発音する語〉

❶ around [əráund] 〜のまわりに ❷ hundred [hʌ́ndrəd] 100
❸ holiday [hálədèi] 休日 ❹ pilot [páilət] パイロット
❺ support [səpɔ́ːrt] 〜を支える ❻ famous [féiməs] 有名な

Notes [ə]の音が含まれている単語をゆっくり発音すると、つづり字によって発音が変わる場合があります。e は「ェ」、i は「ィ」、o は「ォ」のひびきを帯びることがあります。

練習問題

各組の単語の下線部の発音が同じなら○、違うなら×と答えてください。

❼ { about / family }   ❽ { ago / autumn }   ❾ { melon / hot }

答え （7）×　（8）○　（9）×

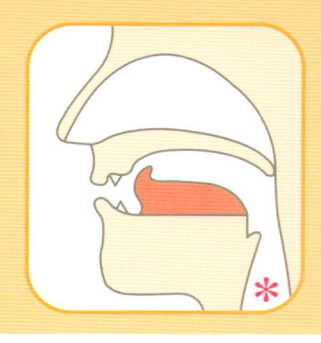

8 [ər]の発音

[ər]、[ər]、[ər]、[ər]　teacher [tí:tʃər] 先生
弱く「ァ」と言う時に
舌先を少し丸めよう

[ər]の発音を練習しましょう。

弱く「ァ」と言う時に、舌の先を少し丸めて[r]の音をひびかせましょう。[ər]は単語のアクセントのない部分にあり、弱く発音します。次の単語の発音練習でも[ər]の部分を軽く言いましょう。[ər]は[ə:r]を弱く短めにした母音です。

CD 1 Track 16

CDを聞きながら単語の発音練習をしましょう。

⟨[ər]が中間にある語⟩

❶ energy　　　[énərdʒi]　　　エネルギー
❷ information　[ìnfərméiʃən]　情報
❸ modern　　　[mádərn]　　　現代の
❹ percent　　　[pərsént]　　　パーセント
❺ surprise　　 [sərpráiz]　　　〜を驚かす
❻ understand　[ʌ̀ndərstǽnd]　〜を理解する

⟨[ər]で終わる語⟩

❼ another　[ənʌ́ðər]　もう1つの
❾ doctor　 [dáktər]　医者
⓫ letter　　[létər]　　手紙
⓭ paper　　[péipər]　紙
⓯ sister　　[sístər]　姉、妹

❽ calendar　[kǽləndər]　カレンダー
❿ finger　　 [fíŋgər]　　（手の）指
⓬ over　　　[óuvər]　　〜の上に
⓮ remember [rimémbər] 覚えている
⓰ winter　　[wíntər]　　冬

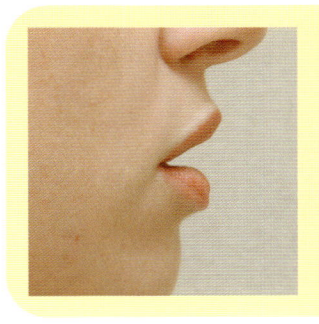

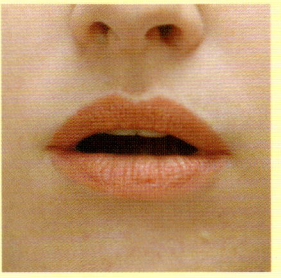

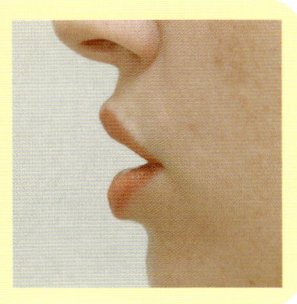

[ər] の発音とつづり字

基礎　[ər] のつづり字は ar、er、or、ur などです。

CD 1 Track 17

⟨ar、er、or、urと書いて [ər] と発音する語⟩

❶ popular　[pápjələr]　人気のある
❷ standard　[stǽndərd]　標準
❸ summer　[sʌ́mər]　夏
❹ writer　[ráitər]　筆者
❺ forget　[fərgét]　〜を忘れる
❻ visitor　[vízitər]　訪問者
❼ Saturday　[sǽtərdèi]　土曜日
❽ survive　[sərváiv]　生き残る

練習問題

各組の単語の下線部の発音が同じなら○、違うなら×と答えてください。

❾ { doctor / another }　　❿ { car / calendar }　　⓫ { letter / understand }

答え　(9)○　(10)×　(11)○

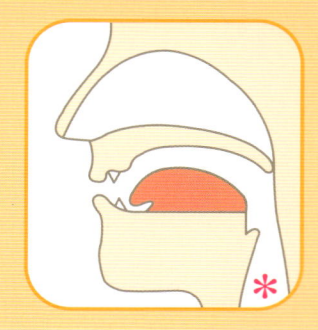

9 [i]の発音

[i]、[i]、[i]、[i] fish [fíʃ] 魚
「エ」の口の形で「イ」と
言ってみよう

[i] の発音を練習しましょう。

[i]は日本語の「イ」と「エ」の中間の音です。歯で小指を軽くかみ、口を「エ」と言う時の形にしましょう。舌に力を入れないで、「イ」と「エ」を同時に言うような感じで短く「イ」と発音します。

CD 1 Track 18

CD を聞きながら単語の発音練習をしましょう。

〈[i]で始まる語〉

① if [íf] もし〜ならば
② ill [íl] 病気で
③ insect [ínsekt] 昆虫
④ it [ít] それは

〈[i]が中間にある語〉

⑤ bring [bríŋ] 〜を持ってくる
⑥ chicken [tʃíkən] にわとり
⑦ drink [dríŋk] 〜を飲む
⑧ film [fílm] フィルム
⑨ gym [dʒím] 体育館
⑩ hill [híl] 丘
⑪ lip [líp] 唇
⑫ listen [lísn] 聞く
⑬ river [rívər] 川
⑭ sit [sít] すわる
⑮ system [sístəm] 制度
⑯ tip [típ] チップ
⑰ will [wíl] 〜でしょう
⑱ window [wíndou] 窓

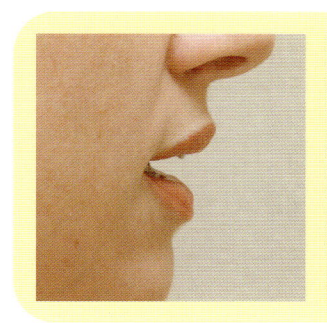

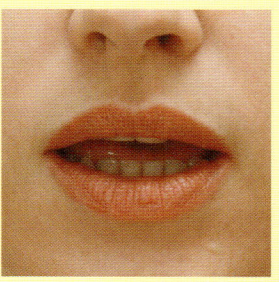

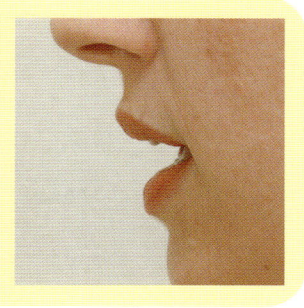

P [i]と[ʌ]の発音を比べてみましょう。

[i]は「エ」の口の形で短く「イ」と言います。[ʌ]はつまったような感じで短く「ア」と発音します。

	[i]			[ʌ]	
⑲ big	[bíg]	大きい	bug	[bʌ́g]	虫
⑳ disk	[dísk]	円盤	dusk	[dʌ́sk]	夕やみ
㉑ hit	[hít]	〜を打つ	hut	[hʌ́t]	小屋
㉒ knit	[nít]	〜を編む	nut	[nʌ́t]	木の実
㉓ win	[wín]	勝つ	won	[wʌ́n]	winの過去・過去分詞形

CD 1 Track 18

[i] の言葉遊びをしましょう。

㉔ **This is a picture.**
これは写真です。
㉕ **This is a picture of a bridge.**
これは橋の写真です。
㉖ **This is a picture of a bridge over the Mississippi River.**
これはミシシッピー川にかかっている橋の写真です。

✏️ [i]の発音とつづり字

基礎1 [i]はふつう i とつづります。

〈i と書いて [i] と発音する語〉

❶ gift [gíft] 贈り物
❷ kick [kík] 〜をける
❸ ring [ríŋ] 指輪
❹ ship [ʃíp] 船
❺ swim [swím] 泳ぐ
❻ thick [θík] 厚い

基礎2 マジックe （148頁参照）

CD 1 Track 19

つづり字 i は [ai アィ] とも発音します。i の発音が [i] か [ai] かは、次のように区別します。

pin [pín ピン]（ピン）の語尾に e をつけ、pine [páin パイン]（松）にすると、i の発音が [i イ] から [ai アィ] に変わります。[i] の発音を [ai] に変える働きをするので、語尾の e を「マジックe」と呼びます。この e は発音しません。

語尾に e がつくと、i の発音が [i] から [ai] に変わる単語の例

　　　　　　　　　　　　　　　i の発音
　　　[i　イ　]　────────────▶　[ai　アィ　]
❼ bit [bít ビットゥ] 少し　　　　bite [báit バイトゥ] 〜をかむ
❽ fin [fín フィン] （魚の）ひれ　　fine [fáin ファイン] 立派な

基礎 3　[i] は y ともつづります。

〈y と書いて [i] と発音する語〉

❾ crystal　[krístl]　水晶
❿ rhythm　[ríðm]　リズム
⓫ symbol　[símbəl]　象徴
⓬ typical　[típikəl]　典型的な

Notes　次の語などでは、e、o、u、ui も [i] と発音します。
—e—　English　[íŋgliʃ　イングリッシ]　英語
—o—　women　[wímin　ウィミン]　womanの複数形
—u—　business　[bíznis　ビズネス]　商売
—ui—　build　[bíld　ビルドゥ]　～を建てる

CD 1　Track 19

練習問題

各組の単語の下線部の発音が同じなら○、違うなら×と答えてください。

⓭ { fish / fine　　⓮ { build / listen　　⓯ { gym / sit

⓰ { pin / pine　　⓱ { English / bring　　⓲ { business / women

答え　(13)×　(14)○　(15)○　(16)×　(17)○　(18)○

10 [iː]の発音

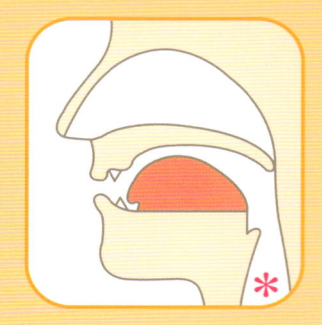

[iː]、[iː]、[iː]、[iː] **east** [íːst] 東
唇を左右に引き
「イー」と言ってみよう

[iː]の発音を練習しましょう。

CD 1 Track 20

日本語の「イー」を言う時よりも唇を左右に引き、舌に力を入れて「イー」とはっきり発音しましょう。日本語の「イー」に近い音です。

CDを聞きながら単語の発音練習をしましょう。

〈[iː]で始まる語〉

① each [íːtʃ] それぞれの ② easy [íːzi] やさしい
③ eel [íːl] うなぎ   ④ evening [íːvniŋ] 夕方

〈[iː]が中間にある語〉

⑤ beef [bíːf] 牛肉   ⑥ dream [dríːm] 夢
⑦ Japanese [dʒæpəníːz] 日本人 ⑧ leave [líːv] 〜を去る
⑨ need [níːd] 〜を必要とする   ⑩ people [píːpl] 人々
⑪ speak [spíːk] 話す   ⑫ week [wíːk] 週

〈[iː]で終わる語〉

⑬ agree [əgríː] 賛成する   ⑭ bee [bíː] みつばち
⑮ knee [níː] ひざ   ⑯ tree [tríː] 木

92　母音

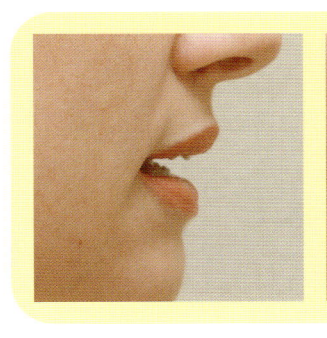

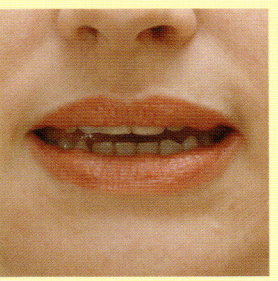

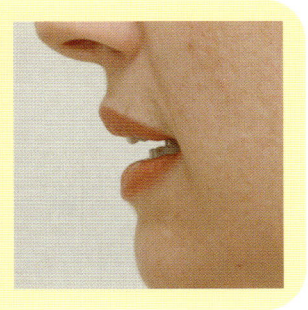

P [iː]と[i]の発音を比べてみましょう。

　[iː]は唇を左右に引いて、はっきり「イー」と言います。[i]は日本語の「エ」の口の形で短く「イ」と発音します。

	[iː]			[i]	
⑰ eat	[íːt]	〜を食べる	it	[ít]	それは
⑱ feel	[fíːl]	〜を感じる	fill	[fíl]	〜を満たす
⑲ meet	[míːt]	〜に会う	mitt	[mít]	ミット
⑳ reach	[ríːtʃ]	〜に着く	rich	[rítʃ]	金持ちの
㉑ seat	[síːt]	席	sit	[sít]	すわる
㉒ sleep	[slíːp]	眠る	slip	[slíp]	すべる

[iː]の言葉遊びをしましょう。

㉓ **Teach me.**
　　　　　私に教えて。
㉔ **Please teach me.**
　　　　　私に教えてください。
㉕ **Please teach me how to feed beetles.**
　　　　　私にかぶと虫のえさのやり方を教えてください。

[iː] の発音とつづり字

基礎1 [iː] はふつう e とつづります。

〈e と書いて [iː] と発音する語〉

① equal [íːkwəl] 等しい ② legal [líːɡəl] 法律の
③ me [míː] 私を ④ region [ríːdʒən] 地方
⑤ senior [síːnjər] 年上の ⑥ we [wíː] 私たちは

▶単語が〈e＋子音字1つ＋e〉で終わる場合、前の方の e を [iː] と発音することがよくあります。
（e＋子音字1つ＋e）
⑦ eve [íːv] （祭日などの）前夜 ⑧ scene [síːn] （劇などの）場面
⑨ theme [θíːm] 主題 ⑩ these [ðíːz] これら

例外 college [kɑ́lidʒ カレッヂ]（大学）、where [(h)wéər （フ）ウェァ]（どこに）など

基礎2 [iː] は ea、ee ともつづります。

〈ea と書いて [iː] と発音する語〉

⑪ beach [bíːtʃ] 浜 ⑫ clean [klíːn] 清潔な
⑬ leaf [líːf] 葉 ⑭ meat [míːt] 肉
⑮ peak [píːk] 山頂 ⑯ team [tíːm] チーム

〈ee と書いて [iː] と発音する語〉

⑰ cheek [tʃíːk] ほお ⑱ deep [díːp] 深い
⑲ green [ɡríːn] 緑の ⑳ speed [spíːd] 速さ

発展 [iː] を ie、ei、i とつづることがあります。

〈ie と書いて [iː] と発音する語〉
㉑ believe [bilíːv] ～を信じる ㉒ brief [bríːf] 短時間の
㉓ field [fíːld] 畑 ㉔ niece [níːs] めい

〈ei と書いて [iː] と発音する語〉
㉕ ceiling [síːliŋ] 天井 ㉖ perceive [pərsíːv] ～に気づく
㉗ receipt [risíːt] 領収証 ㉘ receive [risíːv] ～を受け取る

〈i と書いて [iː] と発音する語〉
㉙ machine [məʃíːn] 機械 ㉚ ski [skíː] スキー（の板）

Notes ① people [píːpl ピープル]（人々）の eo、key [kíː キー]（かぎ）の ey は例外的に [iː] と発音します。

② [iː] は ea、ee とつづるので、sea（海）と see（～が見える）が同じ発音、[síː スィー] になります。

練習問題

各組の単語の下線部の発音が同じなら○、違うなら×と答えてください。

㉛ { pl<u>ea</u>se / n<u>ee</u>d }　㉜ { Japan<u>e</u>se / sp<u>ea</u>k }　㉝ { sk<u>i</u> / h<u>i</u>ll }

㉞ { <u>e</u>vening / <u>ea</u>sy }　㉟ { p<u>eo</u>ple / l<u>ea</u>ve }　㊱ { mach<u>i</u>ne / dr<u>i</u>nk }

答え　(31)○　(32)○　(33)×　(34)○　(35)○　(36)×

11 [u]の発音

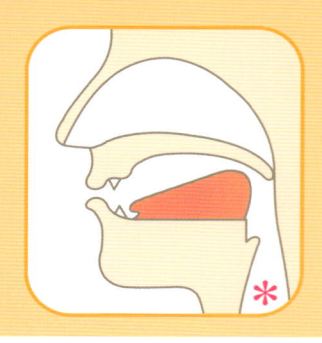

[u]、[u]、[u]、[u] book [búk] 本
唇を少し丸めてつき出し
「ウ」と言ってみよう

[u] の発音を練習しましょう。

唇を少し丸めてつき出しましょう。のどの奥の方から短く「ウ」と言うと、[u]の音を出すことができます。

CDを聞きながら単語の発音練習をしましょう。

① bull [búl] 雄牛
② bush [búʃ] 低木
③ could [kúd] 〜できた
④ cushion [kúʃən] クッション
⑤ foot [fút] 足
⑥ full [fúl] いっぱいの
⑦ hook [húk] つり針
⑧ look [lúk] 見る
⑨ pull [púl] 〜を引く
⑩ push [púʃ] 〜を押す
⑪ put [pút] 〜を置く
⑫ should [ʃúd] 〜すべきである
⑬ wood [wúd] 木材
⑭ wool [wúl] 羊毛

[u] の言葉遊びをしましょう。

⑮ Mr. Cook got a cookbook.　　クックさんは料理の本を買いました。
⑯ Mr. Cook got a good cookbook.
　　　　　　　　　　　　クックさんはよい料理の本を買いました。
⑰ Mr. Cook got a good cookbook at a bookstore.
　　　　　　　　　　　　クックさんは本屋でよい料理の本を買いました。

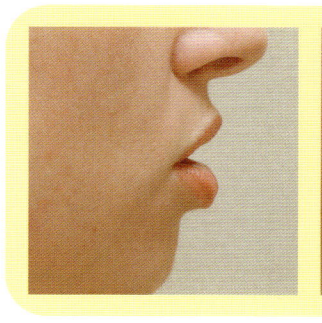

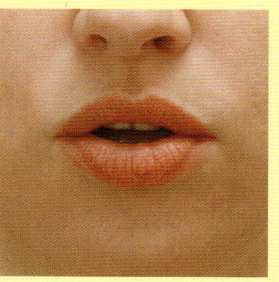

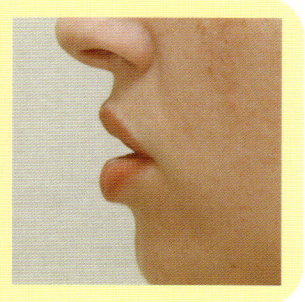

[u]の発音とつづり字

基礎 [u]はふつう oo、u とつづります。

CD 1 Track 23

〈oo、uと書いて[u]と発音する語〉

❶ football [fútbɔ̀:l] フットボール　❷ hood [húd] フード
❸ July [dʒulái] 7月　❹ pudding [púdiŋ] プディング

Notes woman [wúmən　ウマン](女性)の o、そして could [kúd　クッドゥ](〜できた)や would [wúd　ウッドゥ](〜だろう)などの ou は [u] と発音します。

練習問題

各組の単語の下線部の発音が同じなら○、違うなら×と答えてください。

❺ { book / wool }　❻ { full / look }　❼ { study / put }

答え　(5)○　(6)○　(7)×

12 [uː]の発音

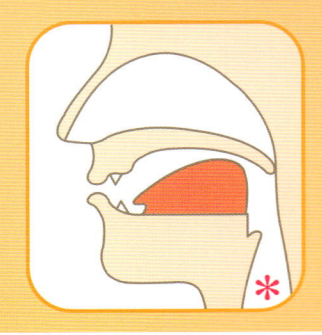

[uː]、[uː]、[uː]、[uː]　cool [kúːl] 涼しい
口笛を吹くような口の形で
「ウー」と言ってみよう

[uː]の発音を練習しましょう。

唇を丸め、前につき出して発音します。口笛を吹く時のような口の形で長めに「ウー」と発音しましょう。

CD 1 Track 24

CD を聞きながら単語の発音練習をしましょう。

〈[uː]で始まる語〉

① oolong [úːlɔːŋ] ウーロン茶　② ooze [úːz] にじみ出る

〈[uː]が中間にある語〉

③ choose [tʃúːz] 〜を選ぶ　④ group [grúːp] グループ
⑤ juice [dʒúːs] ジュース　⑥ loose [lúːs] ゆるい
⑦ movie [múːvi] 映画　⑧ noon [núːn] 正午
⑨ ruler [rúːlər] 定規　⑩ soon [súːn] すぐに
⑪ soup [súːp] スープ　⑫ tool [túːl] 道具

〈[uː]で終わる語〉

⑬ blue [blúː] 青い　⑭ shampoo [ʃæmpúː] シャンプー
⑮ true [trúː] 本当の　⑯ who [húː] だれ

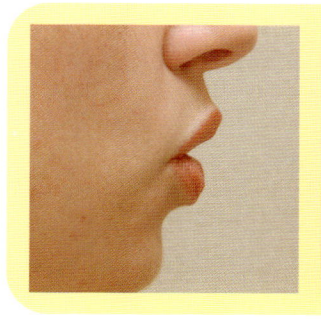

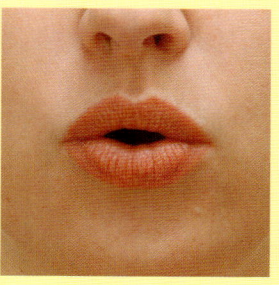

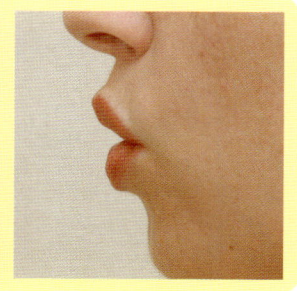

P [u]と[u:]の発音を比べてみましょう。

　[u]は唇を少し丸めてつき出し、短く「ウ」と言います。[u:]は唇を丸めてつき出し、長めに「ウー」と発音します。

　I'm full. は「私はお腹がいっぱいです」という意味ですが、full [fúl]の[u]を[u:]とのばして I'm a fool. と言うと、「私はばかだ」という意味になってしまいます。[u]と[u:]の発音の違いに注意しましょう。

CD 1 Track 24

　　　　　[u]　　　　　　　　　　　　　　　[u:]
⑰ full　[fúl]　いっぱいの　　　fool　[fú:l]　ばか者
⑱ hood　[húd]　フード　　　　who'd　[hú:d]　who wouldの短縮形
⑲ pull　[púl]　〜を引く　　　　pool　[pú:l]　プール

[u:] の言葉遊びをしましょう。

⑳ **two balloons**
　2つの風船
㉑ **Two balloons flew across the sky.**
　2つの風船が空を飛んでいきました。
㉒ **Two balloons flew across the blue sky.**
　2つの風船が青空を飛んでいきました。

[uː]の発音とつづり字

基礎1 [uː]はふつう oo とつづります。

〈ooと書いて[uː]と発音する語〉

1. afternoon [ǽftərnúːn] 午後
2. bloom [blúːm] 花が咲く
3. goose [gúːs] がちょう
4. loop [lúːp] 輪
5. mood [múːd] 気分
6. proof [prúːf] 証明
7. rooster [rúːstər] おんどり
8. smooth [smúːð] なめらかな
9. soon [súːn] すぐに
10. tooth [túːθ] 歯

Notes oo はたいてい[uː ウー]か[u ウ]と発音します。
spoon [spúːn スプーン] スプーン　book [búk ブック] 本

基礎2 [uː]を u、o、ou とつづる場合があります。

〈u、o、ouと書いて[uː]と発音する語〉

11. rumor [rúːmər] うわさ
12. truth [trúːθ] 真実
13. do [dúː] ～をする
14. whom [húːm] だれを
15. route [rúːt] 道
16. through [θrúː] ～を通して

基礎 3　[uː] を ew、ue、ui とつづることもあります。

〈ew、ue、ui と書いて [uː] と発音する語〉

- ⑰ crew　[krúː]　乗務員
- ⑱ flew　[flúː]　fly の過去形
- ⑲ glue　[glúː]　接着剤
- ⑳ true　[trúː]　本当の
- ㉑ cruise　[krúːz]　船旅
- ㉒ fruit　[frúːt]　果物

Notes　canoe [kənúː　カヌー]（カヌー）と shoe [ʃúː　シュー]（靴）の oe、そして two [túː　トゥー]（2）の wo は例外的に [uː] と発音します。

CD 1　Track 25

cruise

練習問題

各組の単語の下線部の発音が同じなら○、違うなら×と答えてください。

- ㉓ { group / young }
- ㉔ { choose / soup }
- ㉕ { soon / wood }
- ㉖ { movie / juice }
- ㉗ { cool / foot }
- ㉘ { through / blue }

答え　(23)×　(24)○　(25)×　(26)○　(27)×　(28)○

[uː] の発音

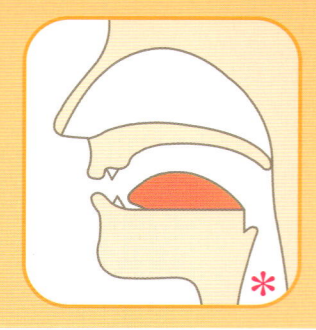

13 [e]の発音

[e]、[e]、[e]、[e] **egg** [ég] 卵
つまったような感じで
「エ」と言ってみよう

[e] の発音を練習しましょう。

日本語の「エ」と言う時よりも唇を左右に引きましょう。つまったような感じではっきり「エ」と言うと、[e]の発音をすることができます。

CD 1 Track 26

CD を聞きながら単語の発音練習をしましょう。

〈[e]で始まる語〉

1. elevator [éləvèitər] エレベーター
2. end [énd] 終わり
3. enter [éntər] 〜に入る
4. every [évri] どの〜も

〈[e]が中間にある語〉

5. accept [əksépt] 〜を受け入れる
6. collect [kəlékt] 〜を集める
7. dentist [déntist] 歯医者
8. friend [frénd] 友だち
9. head [héd] 頭
10. left [léft] 左
11. next [nékst] 次の
12. pet [pét] ペット
13. ready [rédi] 用意ができて
14. second [sékənd] 第2の
15. tennis [ténis] テニス
16. well [wél] 上手に

102 母音

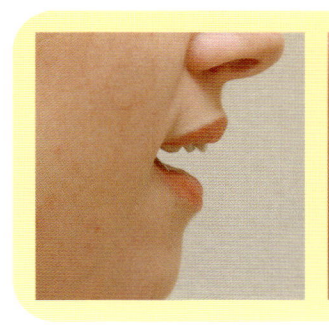

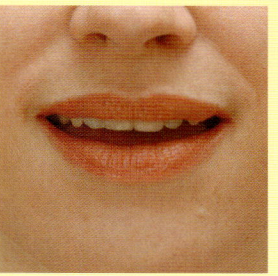

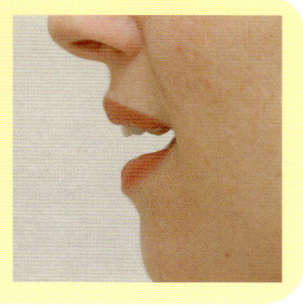

P [e]と[æ]の発音を比べてみましょう。

　[e]はつまったような感じで、「エ」とはっきり発音します。[æ]は「ア」と「エ」の中間の音です。「ア」の口の形であごを下げて「エ」と発音しましょう。

	[e]			[æ]	
⑰ guess	[gés]	～を推測する	gas	[gǽs]	ガス
⑱ hem	[hém]	すそ	ham	[hǽm]	ハム
⑲ lend	[lénd]	～を貸す	land	[lǽnd]	陸
⑳ met	[mét]	meet の過去・過去分詞形	mat	[mǽt]	マット
㉑ said	[séd]	say の過去・過去分詞形	sad	[sǽd]	悲しい

[e] の言葉遊びをしましょう。

㉒ **Henry had eggs and bread.**
　　　　　ヘンリーは卵とパンを食べました。
㉓ **Henry had eggs and bread for breakfast.**
　　　　　ヘンリーは朝食に卵とパンを食べました。
㉔ **Henry had eggs and bread for breakfast yesterday.**
　　　　　ヘンリーはきのう朝食に卵とパンを食べました。

CD 1 Track 26

[e]の発音とつづり字

基礎1 [e]はふつう e とつづります。

〈eと書いて[e]と発音する語〉

① dress [drés] ドレス
② hotel [houtél] ホテル
③ lemon [lémən] レモン
④ lesson [lésn] レッスン
⑤ net [nét] ネット
⑥ never [névər] 決して〜ない
⑦ pen [pén] ペン
⑧ pencil [pénsl] 鉛筆
⑨ rent [rént] 使用料
⑩ send [sénd] 〜を送る
⑪ set [sét] 〜を用意する
⑫ spend [spénd] （金）を使う
⑬ tell [tél] 〜を話す
⑭ web [wéb] くもの巣

基礎2 [e]を ea とつづることもあります。

〈eaと書いて[e]と発音する語〉

⑮ already [ɔːlrédi] すでに
⑯ breath [bréθ] 息
⑰ feather [féðər] 羽
⑱ health [hélθ] 健康
⑲ heavy [hévi] 重い
⑳ spread [spréd] 〜を広げる
㉑ sweat [swét] 汗
㉒ sweater [swétər] セーター
㉓ thread [θréd] 糸
㉔ weather [wéðər] 天気

Notes 次の語などでは、a、ai、ay、ie、u も [e] と発音します。

—a—	many	[méni	メニィ]	たくさんの
—ai—	said	[séd	セッドゥ]	*say の過去・過去分詞形
—ay—	says	[séz	セッズ]	*say の3人称単数現在形
—ie—	friend	[fréend	フレンドゥ]	友だち
—u—	bury	[béri	ベリィ]	〜を埋める

*say(〜を言う)の発音は [séi セイ] です。

練習問題

各組の単語の下線部の発音が同じなら○、違うなら×と答えてください。

㉕ { br<u>ea</u>d / coll<u>e</u>ct }　㉖ { <u>ea</u>ch / <u>e</u>nd }　㉗ { l<u>e</u>ft / h<u>ea</u>d }

㉘ { m<u>a</u>ny / m<u>a</u>n }　㉙ { n<u>e</u>xt / fr<u>ie</u>nd }　㉚ { <u>e</u>very / s<u>ai</u>d }

㉛ { pl<u>ea</u>se / r<u>ea</u>dy }　㉜ { <u>e</u>gg / h<u>ea</u>vy }　㉝ { w<u>e</u>ll / s<u>ay</u>s }

答え　(25)○　(26)×　(27)○　(28)×　(29)○　(30)○　(31)×　(32)○　(33)○

[e]の発音

14 [ɔ:]の発音

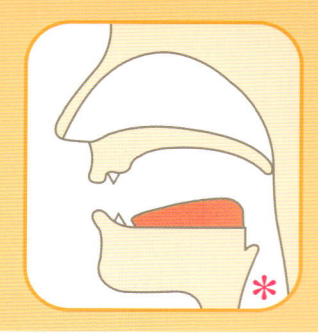

[ɔ:]、[ɔ:]、[ɔ:]、[ɔ:] all [ɔ́:l] すべての
あごを下げ、口を大きく開けて
「オー」と言ってみよう

[ɔ:] の発音を練習しましょう。

あごを下げ、口を大きく開けましょう。「カー」とからすの鳴きまねをする時の口の形と舌の位置で、のどの奥の方から「オー」と言って[ɔ:]の音を出しましょう。[ɔ:]には「アー」の音が含まれていることがあります。「オー」と発音している時に唇をすぼめると、「ゥ」の音が入ってしまいます。途中で唇をすぼめないように注意しましょう。

CDを聞きながら単語の発音練習をしましょう。

〈[ɔ:]で始まる語〉
❶ also [ɔ́:lsou] ～もまた　❷ August [ɔ́:gəst] 8月
❸ autograph [ɔ́:təgræf] 自筆　❹ awful [ɔ́:fəl] ひどい

〈[ɔ:]が中間にある語〉
❺ ball [bɔ́:l] ボール　❻ chalk [tʃɔ́:k] チョーク
❼ cost [kɔ́:st] 費用　❽ daughter [dɔ́:tər] 娘
❾ dog [dɔ́:g] 犬　❿ lawn [lɔ́:n] 芝生
⓫ salt [sɔ́:lt] 塩　⓬ strong [strɔ́:ŋ] 強い
⓭ tall [tɔ́:l] 高い　⓮ walk [wɔ́:k] 歩く

〈[ɔ:]で終わる語〉
⓯ draw [drɔ́:] （線）を引く　⓰ raw [rɔ́:] 生の

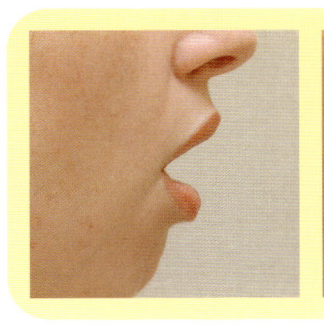

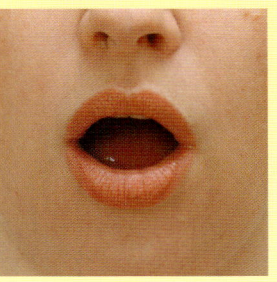

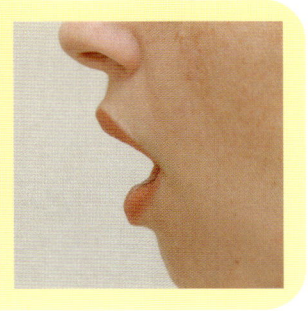

P [ɔ:]と[ʌ]の発音を比べてみましょう。

　[ɔ:]はあごを下げ、口を大きく開けて「オー」と発音します。[ʌ]はつまったような感じで短く「ア」と言います。

	[ɔ:]			[ʌ]	
⑰ bought	[bɔ́:t]	buyの過去・過去分詞形	but	[bʌ́t]	しかし
⑱ hall	[hɔ́:l]	会館	hull	[hʌ́l]	船体
⑲ long	[lɔ́:ŋ]	長い	lung	[lʌ́ŋ]	肺
⑳ stalk	[stɔ́:k]	茎（くき）	stuck	[stʌ́k]	くっついて
㉑ talk	[tɔ́:k]	話をする	tuck	[tʌ́k]	〜を押しこむ
㉒ wrong	[rɔ́:ŋ]	まちがった	rung	[rʌ́ŋ]	ringの過去分詞形

[ɔ:] の言葉遊びをしましょう。

㉓ **Paul saw a flying saucer.**
　　　　　ポールは空飛ぶ円盤を見ました。

㉔ **Paul saw a small flying saucer.**
　　　　　ポールは小さい空飛ぶ円盤を見ました。

㉕ **Paul saw a small flying saucer at dawn.**
　　　　　ポールは夜明けに小さい空飛ぶ円盤を見ました。

[ɔː]の発音とつづり字

基礎1　[ɔː]はふつう au、aw、o とつづります。

〈auと書いて[ɔː]と発音する語〉

① audience [ɔ́ːdiəns] 聴衆　② autumn [ɔ́ːtəm] 秋
③ cause [kɔ́ːz] 原因　④ fault [fɔ́ːlt] 欠点
⑤ sauce [sɔ́ːs] ソース　⑥ taught [tɔ́ːt] teach の過去・過去分詞形

〈awと書いて[ɔː]と発音する語〉

⑦ hawk [hɔ́ːk] たか　⑧ jaw [dʒɔ́ː] あご
⑨ law [lɔ́ː] 法律　⑩ straw [strɔ́ː] 麦わら

〈oと書いて[ɔː]と発音する語〉

⑪ cloth [klɔ́ːθ] 布　⑫ soft [sɔ́ːft] やわらかい
⑬ song [sɔ́ːŋ] 歌　⑭ wrong [rɔ́ːŋ] まちがった

基礎2　[ɔː]を a とつづることがあります。この場合、a の後にたいてい l が続きます。

〈l の前にある a を[ɔː]と発音する語〉

⑮ almost [ɔ́ːlmoust] ほとんど　⑯ ball [bɔ́ːl] ボール
⑰ call [kɔ́ːl] ～を呼ぶ　⑱ fall [fɔ́ːl] 落ちる
⑲ talk [tɔ́ːk] 話をする　⑳ walk [wɔ́ːk] 歩く

基礎3 [ɔː]をouとつづる場合もあります。

〈ouと書いて[ɔː]と発音する語〉

㉑ brought [brɔ́ːt]　bring の過去・過去分詞形
㉒ ought　　[ɔ́ːt]　　～すべきである
㉓ thought　[θɔ́ːt]　　think の過去・過去分詞形

Notes　abroad [əbrɔ́ːd　アブロードゥ]（外国へ）の oa は例外的に[ɔː]と発音します。

練習問題

各組の単語の下線部の発音が同じなら○、違うなら×と答えてください。

㉔ { tall / father }　　㉕ { also / raw }　　㉖ { long / front }

㉗ { daughter / thought }　　㉘ { saw / salt }　　㉙ { abroad / chalk }

㉚ { work / walk }　　㉛ { bought / draw }　　㉜ { August / small }

答え　(24)×　(25)○　(26)×　(27)○　(28)○　(29)○　(30)×　(31)○　(32)○

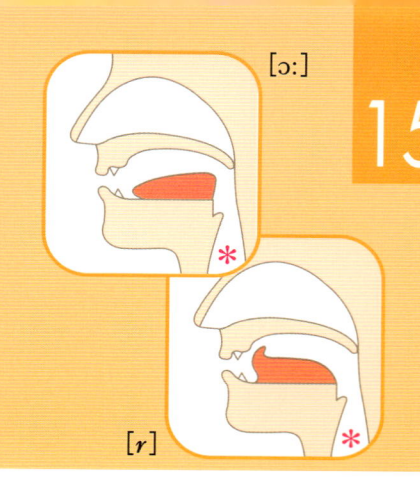

15 [ɔ:r]の発音

[ɔ:r]、[ɔ:r]、[ɔ:r]、[ɔ:r]
order [ɔ́:rdər] 順序
「オー」と言いながら舌の先を少し丸めよう

[ɔ:r]の発音を練習しましょう。

日本語の「オ」よりも口を少し大きく開けて発音します。「オー」と言いながら舌の先を少し巻き上げて、[r]の音を加えましょう。この[r]を発音する時は、口を少し閉じるようにしましょう。

CDを聞きながら単語の発音練習をしましょう。

〈[ɔ:r]で始まる語〉

❶ orchard [ɔ́:rtʃərd] 果樹園
❷ ordinary [ɔ́:rdənèri] ふつうの

〈[ɔ:r]が中間にある語〉

❸ airport [éərpɔ̀:rt] 空港
❹ board [bɔ́:rd] 板
❺ corner [kɔ́:rnər] 角（かど）
❻ course [kɔ́:rs] 進路
❼ forty [fɔ́:rti] 40
❽ horse [hɔ́:rs] 馬
❾ important [impɔ́:rtnt] 重要な
❿ morning [mɔ́:rniŋ] 朝
⓫ north [nɔ́:rθ] 北
⓬ pork [pɔ́:rk] 豚肉
⓭ record [rikɔ́:rd] 〜を録音する
⓮ storm [stɔ́:rm] あらし

〈[ɔ:r]で終わる語〉

⓯ before [bifɔ́:r] 〜の前に
⓰ more [mɔ́:r] もっと多くの

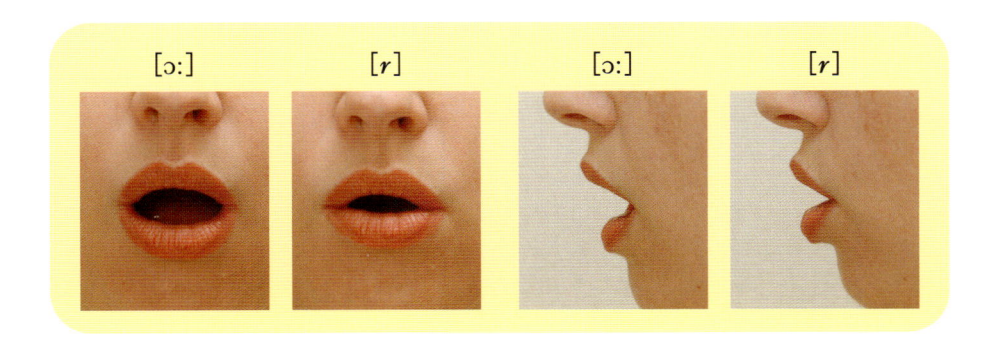

P [əːr]と[ɔːr]の発音を比べてみましょう。

　[əːr]は口を少し開け、舌の先を丸め唇と舌に力を入れて「アー」と発音します。[ɔːr]は「オー」と言いながら舌の先を少し丸めます。

[əːr]
⑰ bird [bə́ːrd] 鳥
⑱ burn [bə́ːrn] 燃える
⑲ firm [fə́ːrm] かたい
⑳ shirt [ʃə́ːrt] ワイシャツ
㉑ stir [stə́ːr] 〜をかきまわす
㉒ worm [wə́ːrm] (みみずなどの)虫

[ɔːr]
board [bɔ́ːrd] 板
born [bɔ́ːrn] bearの過去分詞形
form [fɔ́ːrm] 形式
short [ʃɔ́ːrt] 短い
store [stɔ́ːr] 店
warm [wɔ́ːrm] 暖かい

[ɔːr] の言葉遊びをしましょう。

㉓ **Norman was born.**
　　　　　　ノーマンは生まれました。
㉔ **Norman was born in Norway.**
　　　　　　ノーマンはノルウェーで生まれました。
㉕ **Norman was born in the northern part of Norway.**
　　　　　　ノーマンはノルウェーの北部で生まれました。

[ɔ:r] の発音とつづり字

基礎1 [ɔ:r] はふつう or、ore、oar とつづります。

〈or と書いて [ɔ:r] と発音する語〉

① afford [əfɔ́:rd] 〜する余裕がある　② border [bɔ́:rdər] 国境
③ corn [kɔ́:rn] とうもろこし　④ force [fɔ́:rs] 勢い
⑤ horn [hɔ́:rn] 角(つの)　⑥ short [ʃɔ́:rt] 短い
⑦ sort [sɔ́:rt] 種類　⑧ torch [tɔ́:rtʃ] たいまつ

〈ore と書いて [ɔ:r] と発音する語〉

⑨ core [kɔ́:r] (なし・りんごなどの)しん　⑩ fore [fɔ́:r] 前部の
⑪ ignore [ignɔ́:r] 〜を無視する　⑫ score [skɔ́:r] 得点
⑬ shore [ʃɔ́:r] (海・湖・川の)岸　⑭ sore [sɔ́:r] ひりひりする

〈oar と書いて [ɔ:r] と発音する語〉

⑮ aboard [əbɔ́:rd] (飛行機など)に乗って　⑯ boar [bɔ́:r] いのしし
⑰ hoard [hɔ́:rd] 貯蔵する　⑱ hoarse [hɔ́:rs] (声が)かすれた
⑲ oar [ɔ́:r] オール　⑳ roar [rɔ́:r] (獣が)ほえる

基礎2 [ɔ:r] を our とつづる場合があります。

〈our と書いて [ɔ:r] と発音する語〉

㉑ court [kɔ́:rt] (テニスなどの)コート　㉒ four [fɔ́:r] 4
㉓ pour [pɔ́:r] 〜を注ぐ　㉔ source [sɔ́:rs] 原因

> **発展** [ɔːr] を ar とつづることもあります。この場合、ar は [w] の発音の後に続きます。

〈ar と書いて [ɔːr] と発音する語〉

㉕ quarter [kwɔ́ːrtər] 4分の1　㉖ war [wɔ́ːr] 戦争
㉗ ward [wɔ́ːrd] 区　㉘ warm [wɔ́ːrm] 暖かい
㉙ warn [wɔ́ːrn] 〜に注意する　㉚ wart [wɔ́ːrt] いぼ

Notes

① door [dɔ́ːr　ドーァ]（ドア）と floor [flɔ́ːr　フローァ]（床）の oor は、例外的に [ɔːr] と発音します。

② [ɔːr] は or、ore、oar、our などとつづるので、次の語が同じ発音になります。
horse（馬）＝ hoarse（(声が)かすれた）　[hɔ́ːrs　ホース]
fore（前部の）＝ four（4）　[fɔ́ːr　フォーァ]

CD 1　Track 31

練習問題

各組の単語の下線部の発音が同じなら○、違うなら×と答えてください。

㉛ { word / north }　㉜ { course / important }　㉝ { floor / before }

㉞ { arm / warm }　㉟ { door / more }　㊱ { war / dark }

答え　(31)×　(32)○　(33)○　(34)×　(35)○　(36)×

16 [ai]の発音

[ai]、[ai]、[ai]、[ai]
nice [náis] すてきな
「ア」と強く言い、「ィ」を弱く
そえて「アィ」と発音しよう

[ai] の発音を練習しましょう。

日本語の「ア」よりも口を少し大きく開けて「ア」と強く言い、「ィ」を弱くそえて「アィ」と発音します。「ア」と「ィ」を離して発音しないように気をつけましょう。

CDを聞きながら単語の発音練習をしましょう。

〈[ai]で始まる語〉

❶ ice [áis] 氷
❷ island [áilənd] 島

〈[ai]が中間にある語〉

❸ advice [ədváis] 忠告
❹ child [tʃáild] 子ども
❺ drive [dráiv] ～を運転する
❻ Friday [fráidèi] 金曜日
❼ kind [káind] 親切な
❽ library [láibrèri] 図書館
❾ life [láif] 生命
❿ mine [máin] 私のもの
⓫ polite [pəláit] 礼儀正しい
⓬ time [táim] 時
⓭ while [(h)wáil] ～する間に
⓮ write [ráit] ～を書く

〈[ai]で終わる語〉

⓯ high [hái] 高い
⓰ try [trái] ～をためしてみる

114 母音

[a]　　　　[i]　　　　[a]　　　　[i]

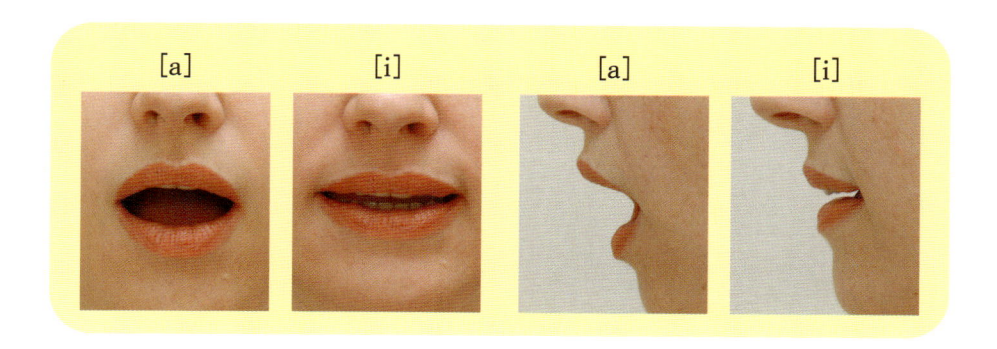

P [i]と[ai]の発音を比べてみましょう。

[i]は「エ」の口の形で「イ」と言います。[ai]は「ア」と強く言い、「ィ」を弱くそえて「アィ」と発音します。

	[i]			[ai]	
⑰ bit	[bít]	少し	bite	[báit]	〜をかむ
⑱ fin	[fín]	(魚の)ひれ	fine	[fáin]	立派な
⑲ kit	[kít]	道具一式	kite	[káit]	凧(たこ)
⑳ pip	[píp]	(りんごなどの)種	pipe	[páip]	管
㉑ rid	[ríd]	〜から取り除く	ride	[ráid]	乗る
㉒ win	[wín]	勝つ	wine	[wáin]	ぶどう酒

[ai] の言葉遊びをしましょう。

㉓ **I like ice cream.**
　　　　私はアイスクリームが好きです。
㉔ **I like ice cream and pies.**
　　　　私はアイスクリームとパイが好きです。
㉕ **I like ice cream and pineapple pies.**
　　　　私はアイスクリームとパイナップルパイが好きです。

[ai] の発音とつづり字

基礎1 [ai] はふつう i とつづります。

〈i と書いて [ai] と発音する語〉

① bicycle [báisikl] 自転車　② climb [kláim] 〜に登る
③ diary [dáiəri] 日記　④ horizon [həráizn] 地平線

▶ つづり字 i は [i] とも発音しますが、次の ① と ⅠⅠ の場合は、i を [ai] と発音することがよくあります。

①（i ＋子音字 1 つ＋ e）で終わる語
⑤ five [fáiv] 5　⑥ life [láif] 生命
⑦ rice [ráis] 米　⑧ size [sáiz] サイズ
⑨ time [táim] 時　⑩ wide [wáid] 幅の広い

例外 give [gív　ギヴ]（〜を与える）、live [lív　リヴ]（住む）など

ⅠⅠ i の後に gh、ld、nd が続く語
(i + gh)
⑪ fight [fáit] 戦う　⑫ high [hái] 高い
⑬ night [náit] 夜　⑭ sight [sáit] 視力

(i + ld)
⑮ child [tʃáild] 子ども　⑯ mild [máild] (味が)まろやかな

(i + nd)
⑰ behind [biháind] 後ろに　⑱ find [fáind] 〜を見つける
⑲ kind [káind] 親切な　⑳ mind [máind] 精神

116　母音

基礎2 [ai]はyともつづります。

〈yと書いて[ai]と発音する語〉

㉑ apply [əplái] 申し込む
㉒ cry [krái] 泣く
㉓ deny [dinái] 〜を否定する
㉔ fly [flái] 飛ぶ
㉕ reply [riplái] 返事をする
㉖ style [stáil] やり方

発展 [ai]を ie とつづることもあります。

〈ieと書いて[ai]と発音する語〉

㉗ lie [lái] 横になる
㉘ tie [tái] ネクタイ

Notes 次の語などでは、ei、eye、uy も[ai]と発音します。
―ei― height [háit ハイトゥ] 高さ
―eye― eye [ái アイ] 目
―uy― buy [bái バイ] 〜を買う

練習問題

各組の単語の下線部の発音が同じなら○、違うなら×と答えてください。

㉙ { like / fish }　㉚ { child / hill }　㉛ { advice / drive }

㉜ { time / kind }　㉝ { write / river }　㉞ { buy / try }

答え　(29)×　(30)×　(31)○　(32)○　(33)×　(34)○

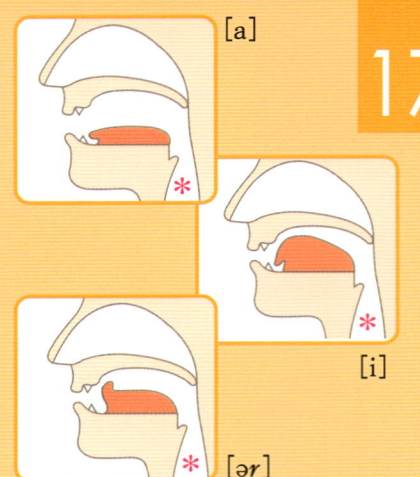

17 [aiər]の発音

[aiər]、[aiər]、[aiər]、[aiər]
fire [fáiər] 火
「アィャァ」の「ャァ」を発音する時に舌先を少し丸めよう

[aiər]の発音を練習しましょう。

[ai]に[ər]を加えた音で、「アィャァ」と発音します。日本語の「ア」よりも口を少し大きく開けて「ア」と強く言い、「ィ」を弱くそえて「ャァ」を軽く加えます。「ャァ」と言う時に、舌の先を少し丸めて[r]の音をひびかせます。この[r]を発音する時は、口を少し閉じるようにしましょう。

CDを聞きながら単語の発音練習をしましょう。

❶ desire [dizáiər] （強い）願い
❷ empire [émpaiər] 帝国
❸ fire [fáiər] 火
❹ hire [háiər] 〜を雇う
❺ perspire [pərspáiər] 汗をかく
❻ require [rikwáiər] 〜を要求する
❼ tire [táiər] タイヤ
❽ wire [wáiər] 針金

P [ai]と[aiər]の発音を比べてみましょう。

[ai]は「ア」を強く言い、「ィ」を弱くそえて「アィ」と発音します。
[aiər]（アィャァ）の「ャァ」を発音する時に、舌の先を少し巻きましょう。

[ai]
❾ dry [drái] かわいた
❿ my [mái] 私の

[aiər]
dryer [dráiər] ドライヤー
mire [máiər] 泥沼

[a]　　　　　[i]　　　　　[ər]

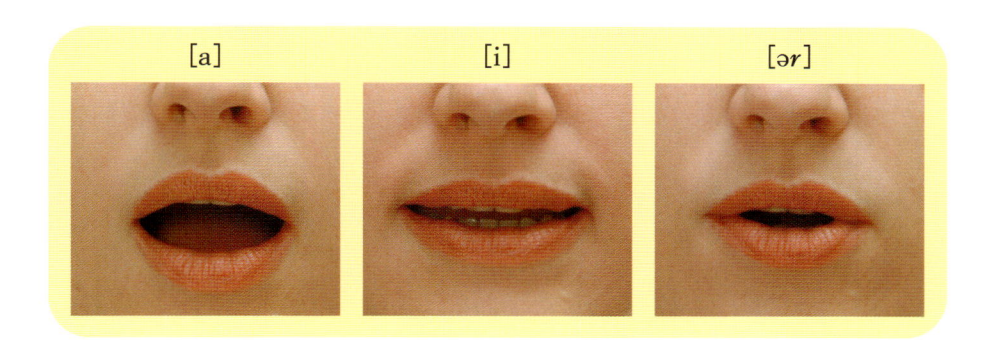

[aiər] の言葉遊びをしましょう。

❶ Mr. **Meyer admired** the songs.
　　　　マイヤーさんは歌に感心しました。
❷ Mr. **Meyer admired** the **inspiring** songs.
　　　　マイヤーさんは感動的な歌に感心しました。
❸ Mr. **Meyer admired** the **inspiring** songs of the **choir**.
　　　　マイヤーさんは聖歌隊の感動的な歌に感心しました。

CD 1 Track 34

[aiər] の発音とつづり字

基礎　[aiər] はふつう **ire** とつづります。

〈ire と書いて [aiər] と発音する語〉

❹ inquire [inkwáiər] 〜をたずねる　❺ retire [ritáiər] (定年で)退職する

Notes　Meyer [máiər　マ**イ**ャァ] (マイヤー(姓))の eyer と choir [kwáiər ク**ワ**イャァ] (聖歌隊)の oir は例外的に [aiər] と発音します。

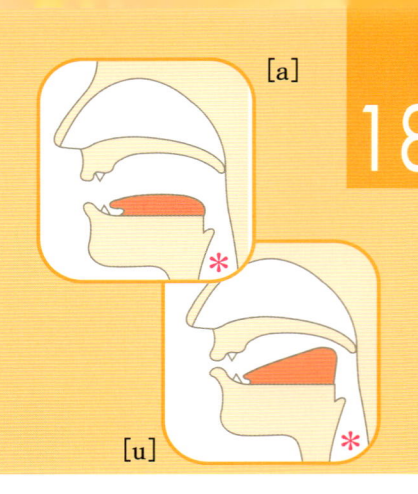

18 [au]の発音

[a]
[u]

[au]、[au]、[au]、[au]
cow [káu] 雌牛
「ア」と強く言い、「ゥ」を弱くそえて「アゥ」と発音しよう

[au] の発音を練習しましょう。

CD 1 Track 35

日本語の「ア」よりも口を少し大きく開けて「ア」と強く言い、「ゥ」を弱くそえます。「ア」から「ゥ」へと流れるように「アゥ」と発音しましょう。

CD を聞きながら単語の発音練習をしましょう。

〈[au]で始まる語〉

❶ ouch [áutʃ] 痛い　　❷ out [áut] 外へ

〈[au]が中間にある語〉

❸ around [əráund] ～のまわりに　　❹ blouse [bláus] ブラウス
❺ brown [bráun] 茶色の　　❻ count [káunt] ～を数える
❼ down [dáun] 下へ　　❽ ground [gráund] 地面
❾ mouth [máuθ] 口　　❿ proud [práud] 誇りに思う
⓫ shout [ʃáut] 叫ぶ　　⓬ sound [sáund] 音
⓭ south [sáuθ] 南　　⓮ town [táun] 町

〈[au]で終わる語〉

⓯ how [háu] どのようにして　　⓰ now [náu] 今

120　母音

| [a] | [u] | [a] | [u] |

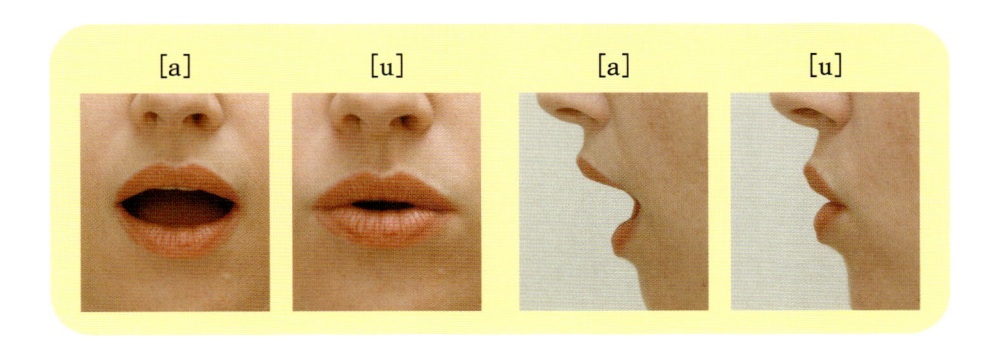

P [a]と[au]の発音を比べてみましょう。

　[a]は指が縦に2本入るくらい口を大きく開けて「ア」と言います。[au]は「ア」と強く言い、「ゥ」を弱くそえて「アゥ」と発音します。

CD 1 Track 35

　　　　　[a]　　　　　　　　　　　　　[au]
⓱ bond [bánd] (愛情などの)きずな　bound [báund] はずむ
⓲ dot [dát] (小さな)点　　　　　doubt [dáut] 〜を疑う
⓳ fond [fánd] 好んで　　　　　　found [fáund] findの過去・過去分詞形
⓴ pot [pát] つぼ　　　　　　　pout [páut] 口をとがらす
㉑ spot [spát] 地点　　　　　　　spout [spáut] 〜を吹き出す
㉒ trot [trát] (馬などが)速足で進む trout [tráut] (魚)ます

[au] の言葉遊びをしましょう。

㉓ I found an owl.
　　　　　　　私はふくろうを見つけました。
㉔ I found an owl on a bough.
　　　　　　　私は木の大きな枝にいるふくろうを見つけました。
㉕ I found an owl on a bough in the mountains.
　　　　　　　私は山の木の大きな枝にいるふくろうを見つけました。

[au]の発音　121

[au]の発音とつづり字

基礎 [au]はふつう ou、ow とつづります。

〈ouと書いて[au]と発音する語〉

① about [əbáut] 〜について
② cloud [kláud] 雲
③ drought [dráut] 日照り
④ house [háus] 家
⑤ loud [láud] 大声の
⑥ mouse [máus] はつかねずみ
⑦ round [ráund] 丸い
⑧ thousand [θáuznd] 1000

〈owと書いて[au]と発音する語〉

⑨ allow [əláu] 〜を許す
⑩ bow [báu] おじぎをする
⑪ crowd [kráud] 群衆
⑫ eyebrow [áibràu] まゆ
⑬ powder [páudər] 粉
⑭ town [táun] 町

CD 1 Track 36

練習問題

各組の単語の下線部の発音が同じなら○、違うなら×と答えてください。

⑮ { out / cow }
⑯ { mouth / count }
⑰ { country / sound }
⑱ { touch / ground }
⑲ { south / could }
⑳ { how / shout }

答え (15)○ (16)○ (17)× (18)× (19)× (20)○

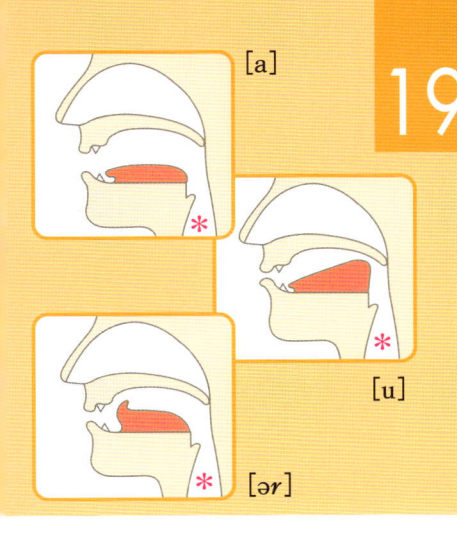

19 [auər]の発音

[auər]、[auər]、[auər]、[auər]
power [páuər] 力
「アヮァ」の「ァ」を発音する時
舌の先を少し丸めよう

[a]
[u]
[ər]

[auər]の発音を練習しましょう。

[au]に[ər]を加えた音で、「アヮァ」と発音します。日本語の「ア」よりも口を少し大きく開けて「ア」を強く言い、「ヮァ」を軽くそえて「アヮァ」と発音しましょう。最後の「ァ」を言う時に、舌の先を少し巻き上げて[r]の音をひびかせます。この[r]を発音する時は、口を少し閉じるようにしましょう。

CDを聞きながら単語の発音練習をしましょう。

〈[auər]で始まる語〉

❶ hourglass [áuərglæs] （1時間用の）砂時計
❷ ours [áuərz] 私たちのもの

〈[auər]が中間にある語〉

❸ coward [káuərd] おくびょう者　❹ flowerpot [fláuərpàt] 植木鉢
❺ Howard [háuərd] ハワード(男性の名)　❻ powerful [páuərfəl] 強力な

〈[auər]で終わる語〉

❼ flower [fláuər] 花　　　❽ shower [ʃáuər] にわか雨
❾ sour [sáuər] すっぱい　❿ tower [táuər] 塔

[a]　　　　　　　[u]　　　　　　　[ər]

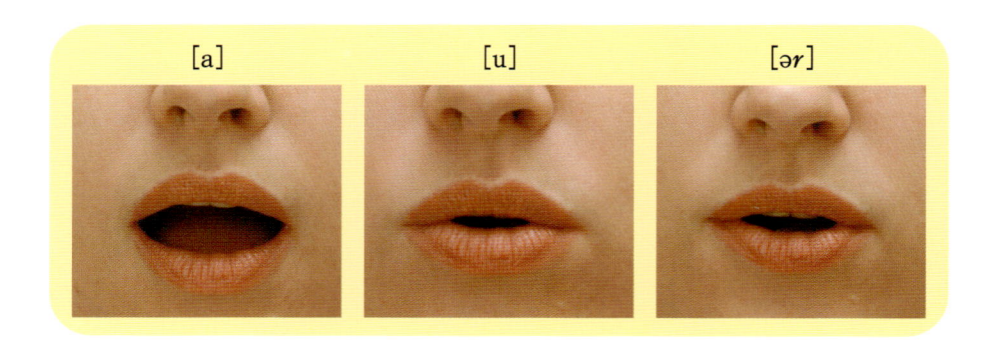

P [au]と[auər]の発音を比べてみましょう。

　[au]は「ア」と強く言い、「ゥ」を弱くそえて「アゥ」と発音します。[auər]（アヮァ）の「ァ」を発音する時は、舌の先を少し丸めましょう。

CD 1 Track 37

　　　　　[au]　　　　　　　　　　　　　　[auər]
⑪ ow 　[áu]　　痛いっ　　　　　our 　[áuər]　　私たちの
⑫ cow　[káu]　　雌牛　　　　　cower [káuər]　　ちぢこまる
⑬ scow [skáu]　大型平底船　　　scour [skáuər]　〜をこすってみがく

[auər] の言葉遊びをしましょう。

⑭ The flowers look fresh.
　　　　　花が生き生きしています。
⑮ The flowers in our flowerbed look fresh.
　　　　　花壇の花が生き生きしています。
⑯ The flowers in our flowerbed look fresh in a shower.
　　　　　にわか雨で花壇の花が生き生きしています。

[auər]の発音とつづり字

基礎 [auər]はふつう our、ower とつづります。

〈our、owerと書いて[auər]と発音する語〉
① flour [fláuər] 小麦粉 ② hour [áuər] 1時間
③ powerless [páuərləs] 力のない ④ tower [táuər] 塔

Notes

① [auər]はour、owerとつづるので、flour(小麦粉)とflower(花)は同じ発音、[fláuər フラワァ]になります。

② hour(1時間)のhは黙字なので、hourとour(私たちの)は同じ発音、[áuər アワァ]になります。

③ coward[káuərd カワァドゥ](おくびょう者)とHoward[háuərd ハワァドゥ](ハワード(男性の名))のowar は[auər]と発音します。

CD 1 Track 38

練習問題

各組の単語の下線部の発音が同じなら○、違うなら×と答えてください。

⑤ { flower / four }　⑥ { course / hour }　⑦ { coward / power }

答え (5)× (6)× (7)○

[auər]の発音 125

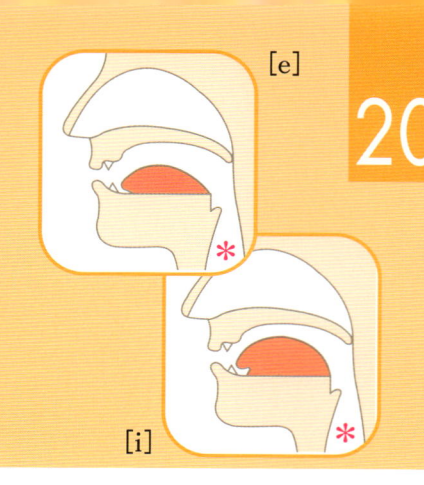

20 [ei]の発音

[ei]、[ei]、[ei]、[ei]
name [néim] 名前
「エ」と強く言い、「ィ」を弱くそえて「エィ」と発音しよう

[ei] の発音を練習しましょう。

CD 1 Track 39

「エ」と強く言い、「ィ」を弱くそえるように発音します。「エ」と「ィ」を離さず、「エィ」と一息に発音しましょう。name の正しい発音は「ネーム」ではなく、「ネイム」です。

CD を聞きながら単語の発音練習をしましょう。

〈[ei]で始まる語〉

1. age [éidʒ] 年齢
2. eight [éit] 8

〈[ei]が中間にある語〉

3. break [bréik] ～をこわす
4. cake [kéik] ケーキ
5. face [féis] 顔
6. great [gréit] 偉大な
7. place [pléis] 場所
8. same [séim] 同じ
9. take [téik] ～を取る
10. train [tréin] 列車
11. wave [wéiv] 波
12. whale [(h)wéil] くじら

〈[ei]で終わる語〉

13. may [méi] ～してもよい
14. play [pléi] 遊ぶ
15. say [séi] ～を言う
16. stay [stéi] 滞在する

126　母音

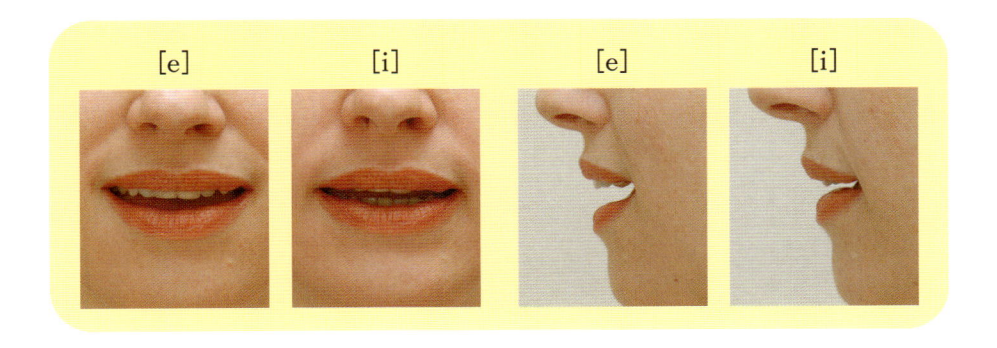

P [e]と[ei]の発音を比べてみましょう。

　[e]はつまったような感じで、はっきりと「エ」と言います。[ei]は「エ」を強く言い、「ィ」を弱くそえて「エィ」と発音します。

[e]
- ⑰ get [gét] 〜を得る
- ⑱ let [lét] （人）に〜させる
- ⑲ pen [pén] ペン
- ⑳ sell [sél] 〜を売る
- ㉑ wet [wét] ぬれた

[ei]
- gate [géit] 門
- late [léit] おそい
- pain [péin] 痛み
- sail [séil] 帆
- wait [wéit] 待つ

CD 1 Track 39

[ei] の言葉遊びをしましょう。

㉒ **They** will **play** a **baseball game.**
　　　　彼らは野球の試合をする予定です。
㉓ **They** will **play** a **baseball game** at a **stadium.**
　　　　彼らは球場で野球の試合をする予定です。
㉔ **They** will **play** a **baseball game** at a **stadium today.**
　　　　彼らはきょう球場で野球の試合をする予定です。

[ei] の発音とつづり字

基礎1　[ei] はふつう a とつづります。

〈a と書いて [ei] と発音する語〉

❶ baby　[béibi]　赤ちゃん
❷ danger　[déindʒər]　危険
❸ eraser　[iréisər]　消しゴム
❹ lady　[léidi]　婦人
❺ radio　[réidiòu]　ラジオ
❻ station　[stéiʃən]　駅

▶つづり字 a は [æ] とも発音しますが、単語が〈a ＋子音字 1 つ＋ e〉で終わる場合は、a を [ei] と発音することがよくあります。

（a ＋子音字 1 つ＋ e）
❼ case　[kéis]　入れ物
❽ make　[méik]　〜を作る
❾ race　[réis]　競争
❿ safe　[séif]　安全な
⓫ take　[téik]　〜を取る
⓬ wake　[wéik]　目がさめる

例外 garage [gərá:ʒ　ガラージ]（車庫）、village [vílidʒ　ヴィレッヂ]（村）など

基礎2　[ei] は ai、ay ともつづります。

〈ai と書いて [ei] と発音する語〉

⓭ chain　[tʃéin]　くさり
⓮ mail　[méil]　郵便
⓯ paint　[péint]　ペンキ
⓰ rain　[réin]　雨

〈ay と書いて [ei] と発音する語〉

⓱ clay　[kléi]　粘土
⓲ day　[déi]　日
⓳ tray　[tréi]　盆
⓴ way　[wéi]　方法

基礎 3　[ei]を ei、ey とつづることがあります。

〈ei と書いて [ei] と発音する語〉

㉑ eighty　[éiti]　80
㉒ neighbor　[néibər]　近所の人
㉓ veil　[véil]　ベール
㉔ weight　[wéit]　重さ

〈ey と書いて [ei] と発音する語〉

㉕ convey　[kənvéi]　〜を運ぶ
㉖ obey　[oubéi]　〜に従う
㉗ survey　[sərvéi]　〜を調査する
㉘ they　[ðéi]　彼らは

Notes　次の語などの ea は、[ei] と発音します。
―ea―　break　[bréik　ブレイク　]　〜をこわす
　　　　great　[gréit　グレイトゥ]　偉大な
　　　　steak　[stéik　ステイク　]　ステーキ

CD 1　Track 40

練習問題

各組の単語の下線部の発音が同じなら○、違うなら×と答えてください。

㉙ { name / glad }　　㉚ { take / train }　　㉛ { they / may }

㉜ { break / eat }　　㉝ { great / head }　　㉞ { same / eight }

答え　(29)×　(30)○　(31)○　(32)×　(33)×　(34)○

21 [ɔi]の発音

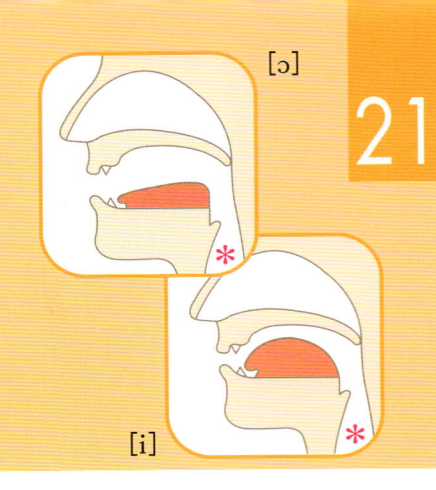

[ɔi]、[ɔi]、[ɔi]、[ɔi]
coin [kɔ́in] 硬貨
「オ」と強く言い、「ィ」を弱く
そえて「オィ」と発音しよう

[ɔi]の発音を練習しましょう。

遠くにいる人を呼ぶ時の「オーィ」を短くした「オィ」という音に似ています。「オ」を強く言い、「ィ」を弱くそえて「オィ」と一息に発音しましょう。

CDを聞きながら単語の発音練習をしましょう。

〈[ɔi]で始まる語〉

① oil [ɔ́il] 油
② oyster [ɔ́istər] (貝)かき

〈[ɔi]が中間にある語〉

③ appoint [əpɔ́int] 〜を任命する
④ avoid [əvɔ́id] 〜を避ける
⑤ boil [bɔ́il] 〜をゆでる
⑥ broil [brɔ́il] 〜を焼く
⑦ choice [tʃɔ́is] 選ぶこと
⑧ join [dʒɔ́in] 〜に加わる
⑨ moist [mɔ́ist] しめった
⑩ noise [nɔ́iz] 物音
⑪ spoil [spɔ́il] 〜をだめにする
⑫ voice [vɔ́is] 声

〈[ɔi]で終わる語〉

⑬ boy [bɔ́i] 少年
⑭ destroy [distrɔ́i] 〜を破壊する
⑮ joy [dʒɔ́i] 喜び
⑯ toy [tɔ́i] おもちゃ

[ɔ]　　　　　　[i]　　　　　　[ɔ]　　　　　　[i]

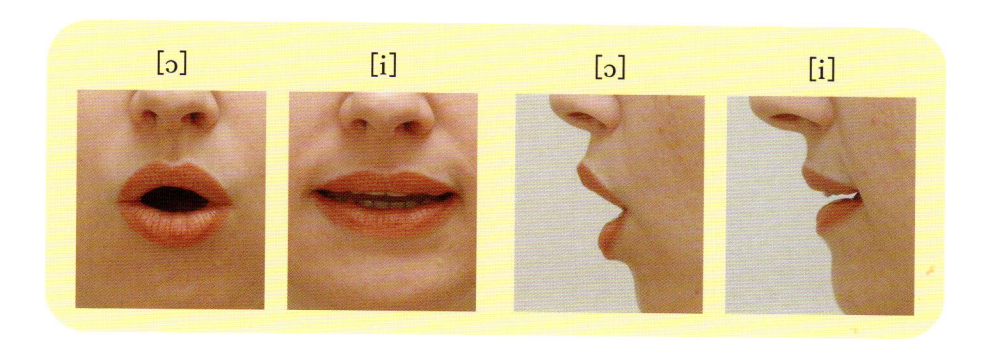

P [ɔi]と[ei]の発音を比べてみましょう。

　[ɔi]は「オ」と強く言い、「ィ」を弱くそえて「オィ」と発音します。[ei]は「エ」と強く言い、「ィ」を弱くそえて「エィ」と発音しましょう。

　　　　　　　[ɔi]　　　　　　　　　　　　　　[ei]
⑰ soy [sɔ́i]　大豆　　　　　　say [séi]　〜を言う
⑱ soil [sɔ́il]　土　　　　　　　sale [séil]　特売

CD 1 Track 41

[ɔi] の言葉遊びをしましょう。

⑲ **Roy enjoyed a voyage.**　　ロイは航海を楽しみました。
⑳ **Roy enjoyed a voyage to Doyle Point.**
　　　　　　　　　　　　　　　ロイはドイル岬への航海を楽しみました。

✎ [ɔi] の発音とつづり字

基礎 [ɔi]はふつう oi か oy とつづります。

〈oi、oy と書いて[ɔi]と発音する語〉
㉑ noisy [nɔ́izi]　やかましい　　㉒ oily [ɔ́ili]　油の
㉓ employ [emplɔ́i]　〜を雇う　　㉔ loyal [lɔ́iəl]　忠実な

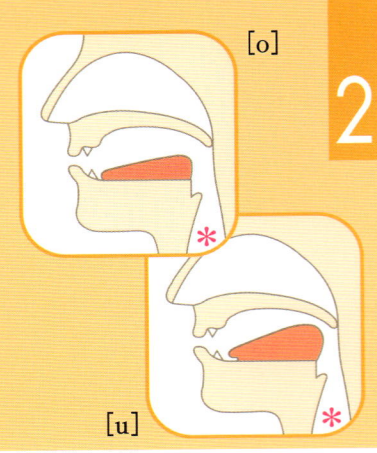

22 [ou]の発音

[ou]、[ou]、[ou]、[ou]
coat [kóut] コート
「オ」と強く言い、「ゥ」を弱くそえて「オゥ」と発音しよう

[ou] の発音を練習しましょう。

CD 1 Track 42

日本語の「オ」より唇を少し丸めて「オ」と強く言い、唇をすぼめながら「ゥ」を弱くそえて「オゥ」と一息に発音します。

CD を聞きながら単語の発音練習をしましょう。

〈[ou]で始まる語〉

❶ old   [óuld]   古い
❷ only   [óunli]   ただ1つの
❸ open   [óupən]   ～を開ける
❹ own   [óun]   自分自身の

〈[ou]が中間にある語〉

❺ cold   [kóuld]   寒い
❻ hold   [hóuld]   ～を手に持つ
❼ most   [móust]   最も多くの
❽ road   [róud]   道路
❾ soap   [sóup]   せっけん
❿ stone   [stóun]   石
⓫ toast   [tóust]   トースト
⓬ whole   [hóul]   全体の

〈[ou]で終わる語〉

⓭ know   [nóu]   ～を知っている
⓮ pillow   [pílou]   まくら
⓯ show   [ʃóu]   ～を見せる
⓰ snow   [snóu]   雪

[o]　　　　[u]　　　　[o]　　　　[u]

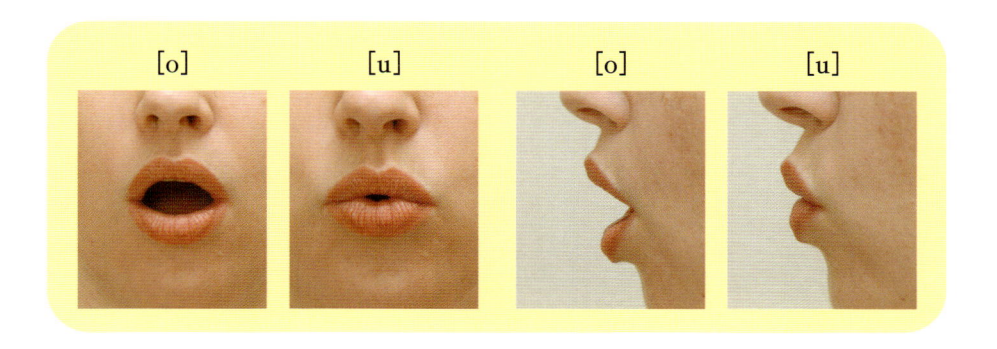

P [ou]と[ɔː]の発音を比べてみましょう。

　[ou]は「オ」を強く言い、「ゥ」を弱くそえて「オゥ」と発音します。[ɔː]は口を大きく開けて「オー」と発音しますが、音をのばす時に唇をすぼめると「ゥ」の音が入ってしまいます。唇をすぼめないように気をつけましょう。

CD 1 Track 42

　　　　[ou]　　　　　　　　　　　　[ɔː]
⑰ boat [bóut] ボート　　　bought [bɔ́ːt] buyの過去・過去分詞形
⑱ bowl [bóul] わん　　　　ball [bɔ́ːl] ボール
⑲ coat [kóut] コート　　　caught [kɔ́ːt] catchの過去・過去分詞形
⑳ hole [hóul] 穴　　　　　hall [hɔ́ːl] 会館
㉑ low [lóu] 低い　　　　　law [lɔ́ː] 法律
㉒ so [sóu] それほど　　　saw [sɔ́ː] seeの過去形

[ou] の言葉遊びをしましょう。

㉓ **Tony took photos.**
　　　　　トニーは写真をとりました。
㉔ **Tony took photos of roses.**
　　　　　トニーはばらの写真をとりました。
㉕ **Tony took photos of yellow roses.**
　　　　　トニーは黄色いばらの写真をとりました。

[ou]の発音とつづり字

基礎1 [ou]はふつう o とつづります。

〈oと書いて[ou]と発音する語〉

❶ both [bóuθ] 両方
❷ don't [dóunt] do not の短縮形
❸ go [góu] 行く
❹ won't [wóunt] will not の短縮形

▶つづり字 o は[ɑ]とも発音しますが、次の①と②の場合は、o を[ou]と発音することがよくあります。

①(o ＋ 子音字１つ ＋ e)で終わる語
❺ globe [glóub] 地球儀
❻ home [hóum] 家庭
❼ joke [dʒóuk] 冗談
❽ rose [róuz] ばら
❾ smoke [smóuk] 煙
❿ those [ðóuz] それら

例外 lose [lú:z ルーズ]（〜を失う）、move [mú:v ムーヴ]（動く）など

② o の後に ld が続く語
(o + ld)
⓫ fold [fóuld] 〜を折りたたむ
⓬ gold [góuld] 金
⓭ hold [hóuld] 〜を手に持つ
⓮ mold [móuld] 型

基礎2 [ou]は oa、ow ともつづります。

〈oaと書いて[ou]と発音する語〉

⓯ coast [kóust] 沿岸
⓰ float [flóut] 浮く
⓱ goal [góul] ゴール
⓲ goat [góut] やぎ
⓳ road [róud] 道路
⓴ throat [θróut] のど

〈owと書いて[ou]と発音する語〉

㉑ blow [blóu] (風が)吹く
㉒ bow [bóu] 弓
㉓ narrow [nǽrou] せまい
㉔ row [róu] 列
㉕ slow [slóu] おそい
㉖ window [wíndou] 窓

Notes

① 次の語などでは、ew、oe、ou も[ou]と発音します。
　　―ew―　sew　　　[sóu　ソウ]　　　　　　〜をぬう
　　―oe―　toe　　　[tóu　トウ]　　　　　　足の指
　　―ou―　shoulder [ʃóuldər　ショウルダァ]　肩
　　　　　　though　 [ðóu　ゾウ]　　　　　　〜だけれども

② bow は[bóu　ボウ](弓)の他に、[báu　バウ](おじぎをする)とも発音します。このように同じつづりで、異なる発音と意味を持つ語もあります。

CD 1 Track 43

練習問題

各組の単語の下線部の発音が同じなら○、違うなら×と答えてください。

㉗ { b<u>oa</u>t / b<u>ou</u>ght }
㉘ { kn<u>ow</u> / d<u>ow</u>n }
㉙ { t<u>oa</u>st / c<u>o</u>ld }
㉚ { sn<u>ow</u> / t<u>ow</u>n }
㉛ { sh<u>ow</u> / <u>o</u>pen }
㉜ { sh<u>ou</u>lder / st<u>o</u>ne }
㉝ { <u>o</u>ld / c<u>oa</u>t }
㉞ { l<u>ow</u> / l<u>aw</u> }
㉟ { <u>o</u>nly / r<u>oa</u>d }

答え　(27)×　(28)×　(29)○　(30)×　(31)○　(32)○　(33)○　(34)×　(35)○

23 [juː]の発音

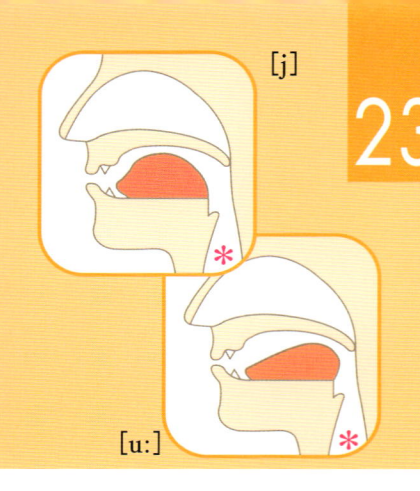

[juː]、[juː]、[juː]、[juː]
use [júːs] 使用
「ユー」とのばしながら唇を
すぼめ「ウ」と言ってみよう

[juː]の発音を練習しましょう。

「ユー」と音をのばしながら唇をすぼめて強く「ウ」の音を出し、[juː]の発音をしましょう。

CDを聞きながら単語の発音練習をしましょう。

〈[juː]で始まる語〉
① uniform [júːnəfɔːrm] 制服
② usually [júːʒuəli] いつもは

〈[juː]が中間にある語〉
③ beautiful [bjúːtəfəl] 美しい
④ confuse [kənfjúːz] ～を混同する
⑤ cute [kjúːt] かわいい
⑥ excuse [ikskjúːs] 言いわけ
⑦ future [fjúːtʃər] 未来
⑧ huge [hjúːdʒ] 巨大な
⑨ human [hjúːmən] 人間の
⑩ humor [hjúːmər] ユーモア
⑪ music [mjúːzik] 音楽
⑫ refuse [rifjúːz] ～を断る

〈[juː]で終わる語〉
⑬ few [fjúː] ほとんどない
⑭ nephew [néfjuː] おい
⑮ rescue [réskjuː] ～を救う
⑯ view [vjúː] 景色

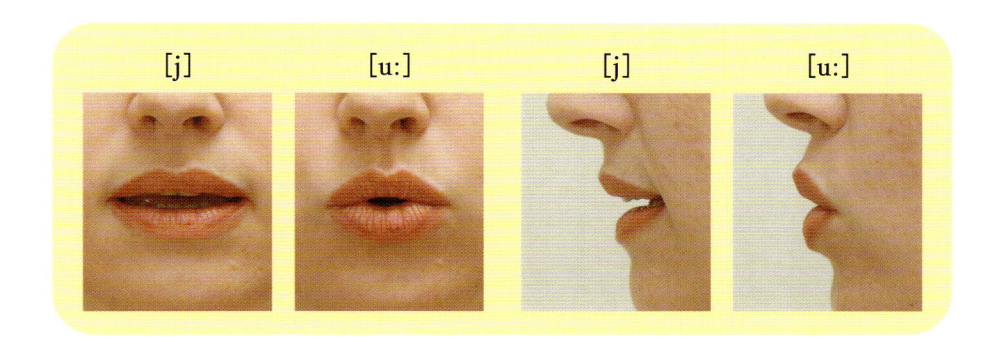

P [u:]と[ju:]の発音を練習しましょう。

次の語の場合、アメリカ発音では[ju:]の[j]を取って[u:]と発音することがよくあります。2通りの発音を練習しましょう。

	[u:]	[ju:]	
⑰ duty	[dú:ti]	[djú:ti]	義務
⑱ new	[nú:]	[njú:]	新しい
⑲ stew	[stú:]	[stjú:]	シチュー
⑳ student	[stú:dnt]	[stjú:dnt]	学生
㉑ studio	[stú:diòu]	[stjú:diòu]	スタジオ
㉒ Tuesday	[tú:zdèi]	[tjú:zdèi]	火曜日

[ju:] の言葉遊びをしましょう。

㉓ **a more useful computer**
　　　　　　　　もっと役に立つコンピューター
㉔ **A more useful computer will be used.**
　　　　　　　　もっと役に立つコンピューターが使われるでしょう。
㉕ **A more useful computer will be used in the future.**
　　　　　　　　もっと役に立つコンピューターが将来使われるでしょう。

[ju:]の発音　137

[juː]の発音とつづり字

基礎1 [juː]はふつう u とつづります。

〈u と書いて[juː]と発音する語〉

❶ humorous [hjúːmərəs] ユーモアのある　❷ musical [mjúːzikəl] 音楽の
❸ unit [júːnit] 単位　❹ usual [júːʒuəl] いつもの

基礎2 マジック e （148頁参照）

つづり字 u は [ʌ] とも発音します。u の発音が [ʌ] か [juː] かは、次のように区別します。

cut [kʌ́t　カットゥ]（〜を切る）に e をつけて、cute [kjúːt　キュートゥ]（かわいい）にすると、u の発音が [ʌ　ア] から [juː　ユー] に変わります。[ʌ] の発音を [juː] に変える働きをするので、単語の終わりにある e を「マジック e」と呼びます。この e は発音しません。次に例を挙げます。

```
                  u の発音
       [ ʌ    ア ] ―――――→ [ juː    ユー    ]
```
❺ cub [kʌ́b　カブ]（きつねなどの）子　　cube [kjúːb　キューブ] 立方体
❻ mull [mʌ́l　マル] よくよく考える　　　mule [mjúːl　ミュール] らば（ろばと馬の雑種）

このように、〈u ＋ 子音字 1 つ ＋ e〉で終わる語の場合、u を [juː] と発音することがよくあります。

（u ＋ 子音字 1 つ ＋ e）
❼ amuse [əmjúːz] 〜を楽しませる　❽ fuse [fjúːz] ヒューズ
❾ muse [mjúːz] 物思いにふける　　❿ reuse [riːjúːz] 〜を再利用する

例外 flute [flúːt　フルートゥ]（フルート）、rule [rúːl　ルール]（規則）など

基礎3 [juː]は ew ともつづります。

〈ewと書いて[juː]と発音する語〉

⓫ few [fjúː] ほとんどない　⓬ mew [mjúː] (ねこ・かもめが)鳴く
⓭ nephew [néfjuː] おい　⓮ skew [skjúː] 傾いた

Notes

① rescue [réskjuː レスキュー] (〜を救う) や value [vǽljuː ヴァリュー] (価値) の ue も [juː] と発音します。

② beautiful [bjúːtəfəl ビューティフル] (美しい) の eau と view [vjúː ヴュー] (景色) の iew は例外的に [juː] と発音します。

③ use や excuse のように、品詞によって発音が変わる語があります。
　　use [júːs ユース] (名詞) 使用
　　　　[júːz ユーズ] (動詞) 〜を使う
　　excuse [ikskjúːs イクスキュース] (名詞) 言いわけ
　　　　　　[ikskjúːz イクスキューズ] (動詞) 〜を許す

CD 1 Track 45

練習問題

各組の単語の下線部の発音が同じなら○、違うなら×と答えてください。

⓯ { few / use }　⓰ { Sunday / music }　⓱ { beautiful / usually }

答え　(15)○　(16)×　(17)○

[juː]の発音　139

24 [iər]の発音

[i]
[ər]

[iər]、[iər]、[iər]、[iər]
ear [íər] 耳
「イャァ」の「ャァ」を発音する時舌の先を少し丸めよう

[iər] の発音を練習しましょう。

「イ」とはっきり言い、なめらかに「ャァ」と軽く続けて「イャァ」と発音します。「ャァ」と言う時に舌の先を少し丸めて、[r]の音をひびかせましょう。

CDを聞きながら単語の発音練習をしましょう。

CD 2 Track 1

〈[iər]で始まる語〉
❶ eardrum [íərdrÀm] 鼓膜(こまく)　❷ earmuff [íərmÀf] 耳おおい

〈[iər]が中間にある語〉
❸ beard [bíərd] あごひげ　❹ cheerful [tʃíərfəl] 元気のいい

〈[iər]で終わる語〉
❺ appear [əpíər] 現れる　　　　❻ career [kəríər] 経歴
❼ clear [klíər] はっきりした　　❽ dear [díər] 親愛なる
❾ fear [fíər] 恐れ　　　　　　　❿ hear [híər] ～が聞こえる
⓫ near [níər] ～の近くに　　　　⓬ pioneer [pàiəníər] 開拓者
⓭ rear [ríər] 後ろ　　　　　　　⓮ severe [səvíər] 厳しい
⓯ sincere [sinsíər] 誠実な　　　⓰ volunteer [vàləntíər] 志願者

140　母音

[i]　　　[ər]　　　[i]　　　[ər]

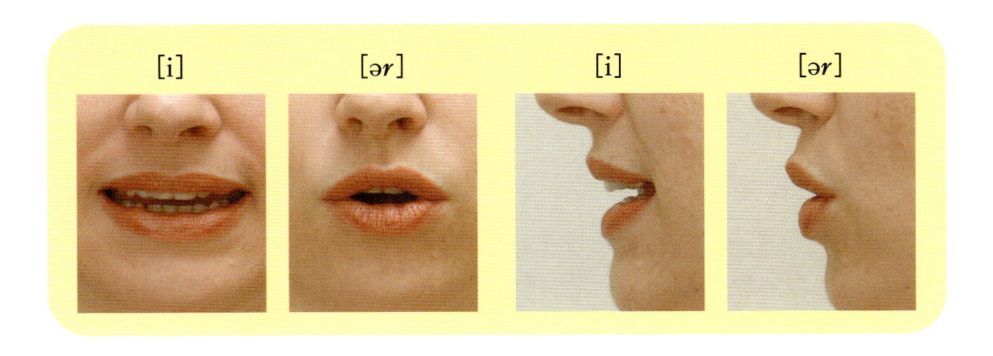

P　[iər]を加えた単語の発音を練習しましょう。

⑰ cash　[kǽʃ]　現金　　　cashier　[kæʃíər]　レジ係
⑱ engine　[éndʒən]　エンジン　engineer　[èndʒəníər]　技師

[iər]の言葉遊びをしましょう。

⑲ I hear mountaineers singing.
　　　　登山者たちが歌っているのが聞こえます。
⑳ I hear mountaineers singing cheerfully.
　　　　登山者たちが楽しそうに歌っているのが聞こえます。

✎ [iər]の発音とつづり字

> **基礎**　[iər]はふつう ear、eer、ere、ier とつづります。

〈earと書いて[iər]と発音する語〉

❶ gear　[gíər]　歯車　　　❷ nearby　[nìərbái]　近くの
❸ shear　[ʃíər]　～を刈る　❹ spear　[spíər]　やり

[iər]の発音　141

〈eerと書いて[iər]と発音する語〉

- ❺ cheer [tʃíər] 〜を元気づける
- ❻ deer [díər] しか
- ❼ engineer [èndʒəníər] 技師
- ❽ steer [stíər] 〜を操縦する

〈ereと書いて[iər]と発音する語〉

- ❾ atmosphere [ǽtməsfìər] 大気
- ❿ here [híər] ここに
- ⓫ interfere [ìntərfíər] じゃまをする
- ⓬ sphere [sfíər] 球

〈ierと書いて[iər]と発音する語〉

- ⓭ cashier [kæʃíər] レジ係
- ⓮ fierce [fíərs] どうもうな
- ⓯ frontier [frʌntíər] 辺境
- ⓰ pierce [píərs] 〜に穴を開ける

Notes

① 現在形、hear [híər ヒァ]（〜が聞こえる）の ear は [iər] と発音しますが、過去・過去分詞形、heard [hə́ːrd ハードゥ]の ear は [əːr] と発音します。

② [iər]のつづり字は、ear、eer、ere、ier なので、次の語が同じ発音になります。
　　dear(親愛なる)＝deer(しか)　　[díər　ディァ]
　　hear(〜が聞こえる)＝here(ここに)　[híər　ヒァ]
　　peer(同等の人)＝pier(桟橋(さんばし))　[píər　ピァ]

練習問題

各組の単語の下線部の発音が同じなら○、違うなら×と答えてください。

- ⓱ { app__ear__ / engin__eer__ }
- ⓲ { __ear__ly / cl__ear__ }
- ⓳ { h__ear__ / h__ear__d }

答え　(17)○　(18)×　(19)×

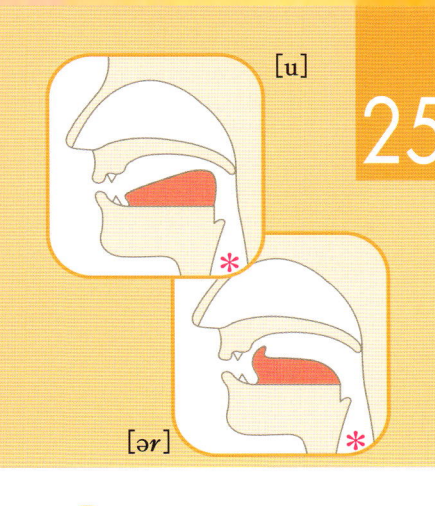

25 [uər]の発音

[uər]、[uər]、[uər]、[uər]
sure [ʃúər] 確かな
「ウァ」の「ァ」を発音する時に
舌の先を少し丸めよう

[uər] の発音を練習しましょう。

唇を丸めてつき出し、強く「ウ」と言い、軽く「ァ」をそえて「ウァ」と発音します。「ァ」と言う時に舌の先を少し丸めて、[r]の音をひびかせましょう。

CDを聞きながら単語の発音練習をしましょう。

〈[uər]が中間にある語〉
❶ poorly [púərli] 下手に
❷ surely [ʃúərli] きっと

〈[uər]で終わる語〉
❸ detour [díːtuər] まわり道
❹ insure [inʃúər] ～に保険をかける
❺ lure [lúər] おとり
❻ tour [túər] 旅行

P [uər]と[iər]の発音を比べてみましょう。

[uər]は「ウァ」、そして[iər]は「イャァ」と発音します。「ウァ」の「ァ」と「イャァ」の「ャァ」を発音する時、舌の先を少し巻きましょう。

[uər]
❼ moor [múər] 船をつなぐ
❽ poor [púər] 貧しい

[iər]
mere [míər] ほんの
pier [píər] 桟橋

CD 2 Track 3

[u]　　　[ər]　　　[u]　　　[ər]

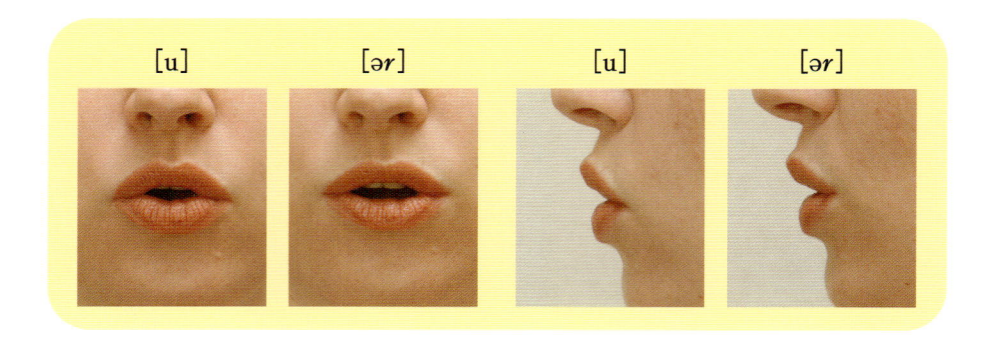

[uər] の言葉遊びをしましょう。

❾ The **tourists** will **surely** enjoy the **tour.**
　　　観光客は旅行をきっと楽しむでしょう。
❿ The **tourists** will **surely** enjoy the **tour** of **Moorpark.**
　　　観光客はムアパークへの旅行をきっと楽しむでしょう。

CD 2 Track 3

✏️ [uər] の発音とつづり字

> 基礎　[uər] はふつう **oor** とつづりますが、**our**、**ure** とつづることもあります。

〈oor、our、ure と書いて [uər] と発音する語〉

⓫ moor　　　　[múər]　　　　船をつなぐ
⓬ poorness　[púərnis]　　　不十分
⓭ contour　　[kántuər]　　　外形
⓮ assure　　　[əʃúər]　　　　～を保証する

26 [eɚ]の発音

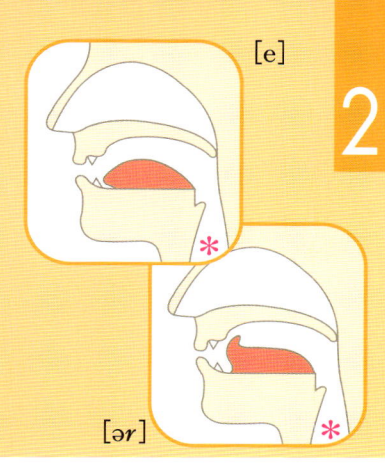

[eɚ]、[eɚ]、[eɚ]、[eɚ]
air [éɚ] 空気
「エァ」の「ァ」を発音する時に
舌の先を少し丸めよう

[eɚ] の発音を練習しましょう。

「エ」と強くはっきり言い、「ァ」を軽くそえて「エァ」と発音します。「ァ」と言う時に舌の先を少し丸め、[r]の音をひびかせましょう。

CD を聞きながら単語の発音練習をしましょう。

CD 2 Track 4

〈[eɚ]で始まる語〉
❶ airmail [éɚmèil] 航空郵便　❷ airplane [éɚplèin] 飛行機

〈[eɚ]が中間にある語〉
❸ careful [kéɚfəl] 注意深い　❹ fairly [féɚli] 公平に
❺ rarely [réɚli] めったに〜ない　❻ upstairs [ʌpstéɚz] 上の階へ

〈[eɚ]で終わる語〉
❼ aware [əwéɚ] 気づいて　❽ chair [tʃéɚ] いす
❾ compare [kəmpéɚ] 〜を比べる　❿ declare [dikléɚ] 〜を宣言する
⓫ fare [féɚ] 運賃　⓬ prepare [pripéɚ] 〜を準備する
⓭ rare [réɚ] めずらしい　⓮ share [ʃéɚ] 〜を分ける
⓯ square [skwéɚ] 正方形　⓰ wear [wéɚ] 〜を着ている

[e]　　　　[ər]　　　　[e]　　　　[ər]

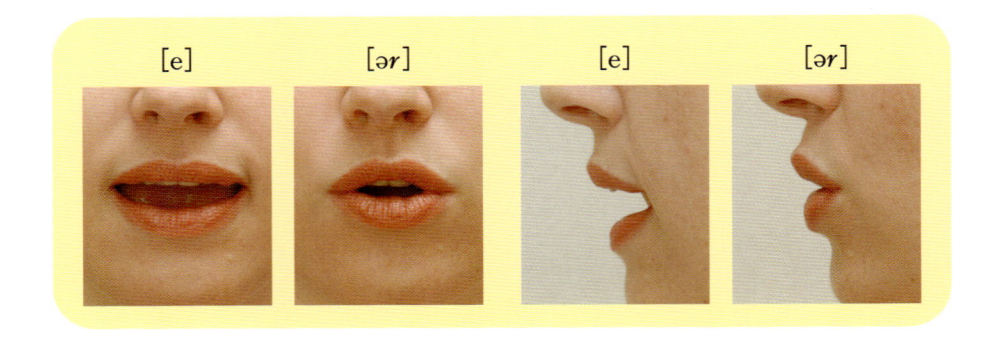

P [eər]と[iər]の発音を比べてみましょう。

　[eər]は「エ」とはっきり言い、「ァ」を軽くそえる時に舌の先を少し巻いて発音します。[iər]は「イ」とはっきり言い、「ャァ」を軽くそえる時に舌の先を少し丸めて発音しましょう。

	[eər]			[iər]	
⑰ air	[éər]	空気	ear	[íər]	耳
⑱ bear	[béər]	くま	beer	[bíər]	ビール
⑲ dare	[déər]	思いきって〜する	dear	[díər]	親愛なる
⑳ hair	[héər]	髪の毛	here	[híər]	ここに
㉑ spare	[spéər]	予備の	spear	[spíər]	やり

[eər] の言葉遊びをしましょう。

㉒ I repaired chairs.
　　　　　　私はいすを修理しました。
㉓ I repaired a pair of chairs.
　　　　　　私は一組のいすを修理しました。
㉔ I repaired a pair of chairs carefully.
　　　　　　私は一組のいすをていねいに修理しました。

[eər]の発音とつづり字

基礎1　[eər]はふつう are、air とつづります。

〈are、airと書いて[eər]と発音する語〉

❶ care [kéər] 世話
❷ hare [héər] 野うさぎ
❸ fair [féər] 公平な
❹ stair [stéər] （階段の）1段

基礎2　[eər]をearとつづることもあります。

〈earと書いて[eər]と発音する語〉

❺ pear [péər] 西洋なし
❻ swear [swéər] 誓う

Notes

① 次の語などでは、eir、ere も [eər] と発音します。
　―eir―　their　[ðéər　ゼァ]　　　　彼らの
　―ere―　where　[(h)wéər　(フ)ウェァ]　どこに

② [eər]は are、air とつづるので、次の語が同じ発音になります。
　fare（運賃）＝ fair（公平な）　[féər　フェァ]
　hare（野うさぎ）＝ hair（髪の毛）　[héər　ヘァ]

練習問題

各組の単語の下線部の発音が同じなら○、違うなら×と答えてください。

❼ { h<u>air</u> / c<u>are</u>ful }　　❽ { n<u>ear</u> / w<u>ear</u> }　　❾ { wh<u>ere</u> / ch<u>air</u> }

答え　(7)○　(8)×　(9)○

母音字（a、e、i、o、u）の発音の基礎

● 母音字の代表的な発音には、短音読みとアルファベット読みの2通りがあります。

	母音字	短音読み	アルファベット読み
❶	a	[æ　ア]	[ei　エィ]
❷	e	[e　エ]	[i:　イー]
❸	i	[i　イ]	[ai　アィ]
❹	o	[ɑ　ア]	[ou　オゥ]
❺	u	[ʌ　ア]	[ju:　ユー]

● 単語の中で、どういう場合に母音字を短音読みにするか、アルファベット読みにするかについて次のルールがあります。

下の「(1)母音字を短音で読む単語」のように、母音字が1つある語で、母音字の後に子音字が続いて語が終わる場合、ふつう母音字を短音で発音します。

「(2)母音字をアルファベット読みにする単語」のように、〈母音字1つ＋子音字1つ＋e〉で単語が終わる場合、母音字をアルファベット読みにすることがよくあります。単語の終わりのeは、短音読みをアルファベット読みに変えるので、「マジックe」と呼ばれています。このeは発音しません。

(1)母音字を短音で読む単語　　　(2)母音字をアルファベット読みにする単語

　　　　　　　　　　　　　　　マジックe
　　　　　　　　　　　　　　　　↓
❻ a mat [mǽt マットゥ] マット　　mate [méit メイトゥ] 仲間
❼ e pet [pét ペットゥ] ペット　　Pete [pí:t ピートゥ] ピート（男性の名）
❽ i fin [fín フィン] （魚の）ひれ　fine [fáin ファイン] 立派な
❾ o hop [hάp ハップ] ぴょんととぶ　hope [hóup ホウプ] 希望
❿ u cut [kʌ́t カットゥ] 〜を切る　　cute [kjú:t キュートゥ] かわいい

基礎編

本とCDで正しい発音を身につけよう

子音
CONSONANTS

#	IPA	word
1	[l]	lake
2	[r]	red
3	[p]	pool
4	[b]	ball
5	[t]	tea
6	[d]	desk
7	[k]	cook
8	[g]	gate
9	[m]	moon
10	[n]	nose
11	[ŋ]	sing
12	[f]	food
13	[v]	vase
14	[h]	house
15	[s]	smile
16	[z]	zoo
17	[θ]	three
18	[ð]	that
19	[ʃ]	she
20	[ʒ]	pleasure
21	[tʃ]	cheese
22	[dʒ]	jeans
23	[j]	yes
24	[w]	west

1 [l]の発音

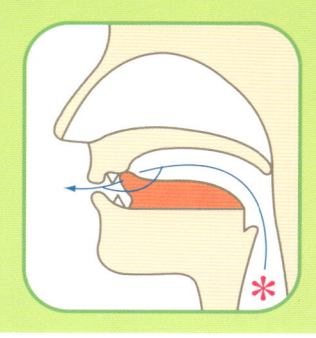

[l]、[l]、[l]、[l] lake [léik] 湖
舌先を上の歯ぐきにつけて
「ル」と言ってみよう

[l] の発音を練習しましょう。

舌の先を上の歯ぐきにしっかりとつけ、舌の両側から「ル」と声を出すと[l]の発音になります。

CD を聞きながら単語の発音練習をしましょう。

〈[l]で始まる語〉

❶ lead	[líːd]	～を導く	❷ leg	[lég]	脚
❸ lettuce	[létəs]	レタス	❹ lion	[láiən]	ライオン
❺ listen	[lísn]	聞く	❻ loud	[láud]	大声の

〈[l]が中間にある語〉

❼ belt	[bélt]	ベルト	❽ close	[klóuz]	～を閉じる
❾ flight	[fláit]	飛行	❿ glass	[glǽs]	グラス
⓫ milk	[mílk]	牛乳	⓬ plate	[pléit]	取り皿

〈[l]で終わる語〉

| ⓭ circle | [sə́ːrkl] | 円 | ⓮ meal | [míːl] | 食事 |
| ⓯ nail | [néil] | つめ | ⓰ tell | [tél] | ～を話す |

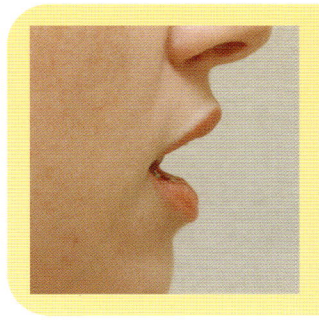

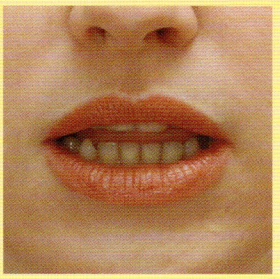

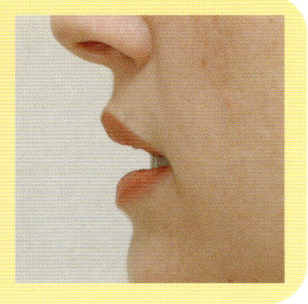

P [l]と[r]で始まる単語の発音を比べてみましょう。

[l]は舌の先を上の歯ぐきにつけて「ル」と発音します。[r]は舌の先を丸めて「ル」と言います。lice は louse [láus ラウス]（しらみ）の複数形です。rice（ごはん）との発音の違いに注意しましょう。

	[l]			[r]	
⑰ lace	[léis]	（靴などの）ひも	race	[réis]	競争
⑱ lice	[láis]	louseの複数形	rice	[ráis]	ごはん
⑲ light	[láit]	光	right	[ráit]	正しい
⑳ load	[lóud]	積み荷	road	[róud]	道路

CD 2 Track 7

[l] の言葉遊びをしましょう。

㉑ **Leo's love letter will delight Linda.**
　　　　　　レオのラブレターはリンダを喜ばせるでしょう。
㉒ **Leo's long love letter will delight Linda.**
　　　　　　レオの長いラブレターはリンダを喜ばせるでしょう。

✎ [l]の発音とつづり字　　[l]は l, ll とつづります。

〈l、ll と書いて [l] と発音する語〉

㉓ ladder [lǽdər] はしご 　　㉔ lift [líft] ～を持ち上げる
㉕ still [stíl] まだ 　　㉖ valley [vǽli] 谷

[l]の発音　151

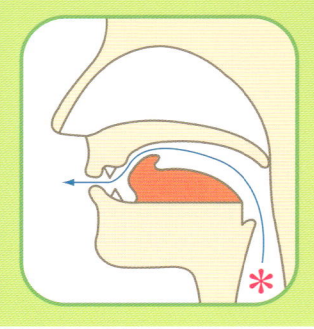

2 [r]の発音

[r]、[r]、[r]、[r]　**red** [réd] 赤い
舌先を丸め、舌に力を入れて
「ル」と言ってみよう

[r]の発音を練習しましょう。

　舌の先を丸めて口の奥の方へ近づけ、舌に力を入れて「ル」と言うと[r]の発音をすることができます。舌の先が上の歯ぐきにもどこにもふれないようにしましょう。日本語の「ラ、リ、ル、レ、ロ」のように、舌の先で上の歯ぐきをたたいて発音しないように気をつけてください。語の最初にある[r]は、唇を少し丸めて発音します。

CDを聞きながら単語の発音練習をしましょう。

〈[r]で始まる語〉

① racket [rǽkit] ラケット
② radio [réidiòu] ラジオ
③ rain [réin] 雨
④ read [ríːd] ～を読む
⑤ reason [ríːzn] 理由
⑥ rest [rést] 休息
⑦ ride [ráid] 乗る
⑧ rule [rúːl] 規則
⑨ run [rʌ́n] 走る
⑩ rush [rʌ́ʃ] 急ぐ

〈[r]が中間にある語〉

⑪ arrive [əráiv] 着く
⑫ bright [bráit] 明るい
⑬ cry [krái] 泣く
⑭ gray [gréi] 灰色の
⑮ pretty [príti] かわいらしい
⑯ spring [spríŋ] 春

152　子音

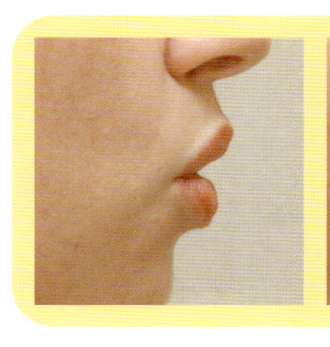

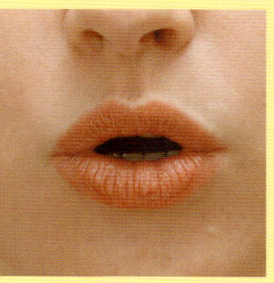

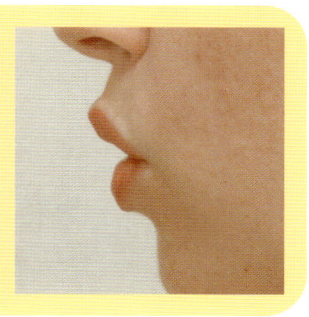

P [l]と[r]が中間にある単語の発音を比べてみましょう。

舌の先を上歯ぐきにつけて「ル」と言うと、[l]の発音ができます。舌を丸めて「ル」と言うと、[r]の発音になります。[r]の発音をする時は、舌先が上の歯ぐきや上あごにふれないように注意しましょう。

	[l]			[r]	
⑰ collect	[kəlékt]	～を集める	correct	[kərékt]	正しい
⑱ fly	[flái]	飛ぶ	fry	[frái]	～を油でいためる
⑲ glass	[glǽs]	グラス	grass	[grǽs]	草
⑳ play	[pléi]	遊ぶ	pray	[préi]	祈る

[r]の言葉遊びをしましょう。

㉑ **The rainbow is across the sky.**
にじが空にかかっています。
㉒ **The rainbow is across the sky after the rain.**
雨がやんだ後にじが空にかかっています。

[r]の発音とつづり字

[r]は r、rr とつづります。

〈r、rrと書いて [r] と発音する語〉

㉓ repeat [ripí:t] ～をくり返す　㉔ rise [ráiz] 昇る
㉕ carry [kǽri] ～を運ぶ　㉖ merry [méri] 陽気な

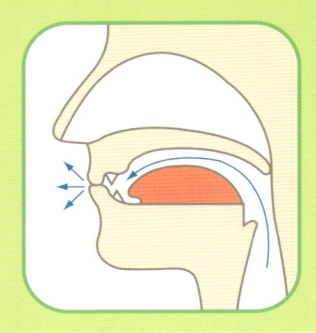

3 [p]の発音

[p]、[p]、[p]、[p] **pool** [pú:l] プール
唇を閉じてから急に開いて
「プッ」と息を出そう

[p] の発音を練習しましょう。

唇を閉じ、息の流れを止めます。唇を急に開いて「プッ」と息を出すと[p]の発音になります。stop [stáp]のように[p]の音で語が終わる場合、最後に「ゥ」を加えて「スタップゥ」と発音しないように気をつけましょう。

CDを聞きながら単語の発音練習をしましょう。

CD2 Track 9

〈[p]で始まる語〉

❶ page [péidʒ] ページ
❷ park [pá:rk] 公園
❸ peace [pí:s] 平和
❹ pocket [pákit] ポケット
❺ price [práis] 値段
❻ public [pʌ́blik] 公共の

〈[p]が中間にある語〉

❼ capital [kǽpətl] 首都
❽ expect [ikspékt] ～を期待する
❾ report [ripɔ́:rt] ～を報告する
❿ spend [spénd] （金）を使う

〈[p]で終わる語〉

⓫ camp [kǽmp] キャンプ
⓬ map [mǽp] 地図
⓭ stop [stáp] ～を止める
⓮ wrap [rǽp] ～を包む

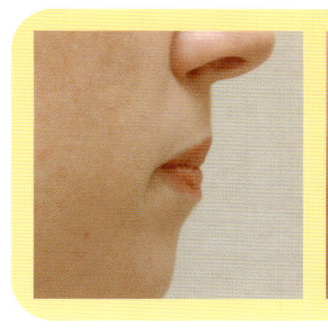

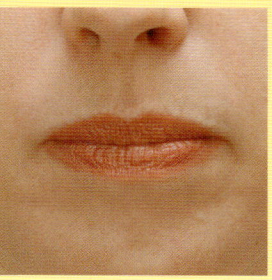

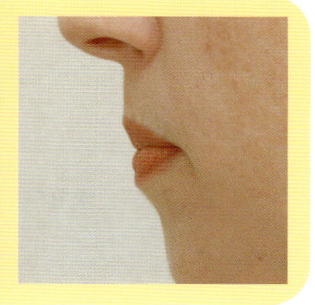

P [p]と[b]で始まる単語の発音を比べてみましょう。

唇を閉じ息の流れを止めてから、「プッ」と息を出すと[p]の発音になり、「ブッ」と声を出すと[b]の発音になります。

　　　　[p]　　　　　　　　　　　　[b]
⑮ pair [péər] 一組　　　　bear [béər] くま
⑯ pay [péi] 〜を払う　　　bay [béi] 湾
⑰ pea [píː] えんどう(豆)　bee [bíː] みつばち
⑱ pull [púl] 〜を引く　　　bull [búl] 雄牛

[p] の言葉遊びをしましょう。

⑲ **Play** the **piano**.　　　　　　　　　ピアノをひいて。
⑳ **Please play** the **piano**.　　　　　ピアノをひいてください。
㉑ **Please play** the **piano, Paul**.　　ピアノをひいてください、ポール。

[p]の発音とつづり字
[p]は **p、pp** とつづります。

〈p、ppと書いて[p]と発音する語〉

㉒ perfect [pə́ːrfikt] 完全な　　㉓ position [pəzíʃən] 位置
㉔ happen [hǽpən] 起こる　　　㉕ supply [səplái] 〜を供給する

CD 2 Track 9

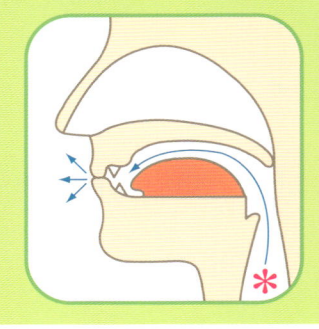

4 [b]の発音

[b]、[b]、[b]、[b] **ball** [bɔ́ːl] ボール
唇を閉じ、急に開いて
「ブッ」と声を出そう

[b] の発音を練習しましょう。

唇を閉じ息の流れを止めてから、急に開いて「ブッ」と声を出して発音します。club [klʌ́b]のように[b]の音で終わる語の場合には、最後に「ゥ」を加えて「クラブゥ」と発音しないように気をつけましょう。

CD 2 Track 10

CD を聞きながら単語の発音練習をしましょう。

〈[b]で始まる語〉

❶ back	[bǽk]	背中	❷ base	[béis]	土台
❸ bell	[bél]	ベル	❹ better	[bétər]	よりよい
❺ blanket	[blǽŋkit]	毛布	❻ branch	[brǽntʃ]	枝
❼ button	[bʌ́tn]	ボタン	❽ buy	[bái]	〜を買う

〈[b]が中間にある語〉

| ❾ absent | [ǽbsənt] | 欠席の | ❿ habit | [hǽbit] | 習慣 |
| ⓫ member | [mémbər] | 一員 | ⓬ October | [ɑktóubər] | 10月 |

〈[b]で終わる語〉

| ⓭ club | [klʌ́b] | クラブ | ⓮ globe | [glóub] | 地球儀 |
| ⓯ job | [dʒɑ́b] | 仕事 | ⓰ web | [wéb] | くもの巣 |

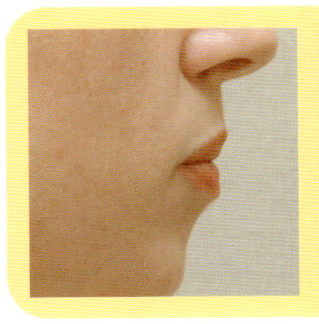

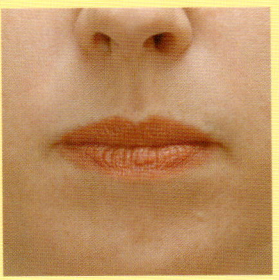

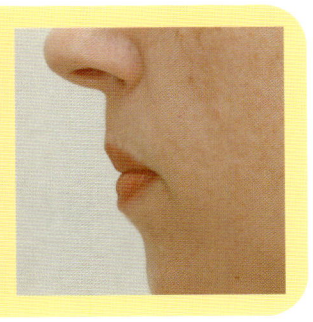

P [p]と[b]で終わる単語の発音を比べてみましょう。

[p]と[b]が単語の最後にくる場合、cap「キャップゥ」や cab「キャッブゥ」のように、「ゥ」を加えて発音しないように気をつけてください。

　　　　　[p]　　　　　　　　　　　　　　　[b]
⑰ cap　[kǽp]　（ふちのない）帽子　　cab　[kǽb]　タクシー
⑱ cup　[kʌ́p]　カップ　　　　　　　　cub　[kʌ́b]　（きつねなどの）子
⑲ rope　[róup]　ロープ　　　　　　　robe　[róub]　部屋着
⑳ sip　[síp]　～を少しずつ飲む　　　sib　[síb]　親類の人

CD 2 Track 10

[b] の言葉遊びをしましょう。

㉑ **Barbara bakes bread.**
　　　　　　バーバラはパンを焼きます。
㉒ **Barbara bakes bread before breakfast.**
　　　　　　バーバラは朝食前にパンを焼きます。

✎ [b]の発音とつづり字　　[b]は b、bb とつづります。

〈b、bbと書いて [b] と発音する語〉

㉓ band　[bǽnd]　楽団
㉕ bitter　[bítər]　苦い
㉗ ribbon　[ríbən]　リボン
㉔ beside　[bisáid]　～のそばに
㉖ broad　[brɔ́ːd]　幅の広い
㉘ rubber　[rʌ́bər]　ゴム

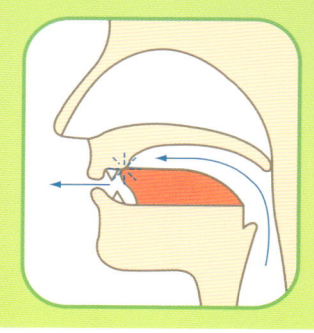

5 [t]の発音

[t]、[t]、[t]、[t] **tea** [tíː] 茶
舌先を上歯ぐきにつけてから
急に離して「トゥ」と息を出そう

[t]の発音を練習しましょう。

舌の先を上の歯ぐきにつけて息の流れを止めます。舌の先を急にはじくように離すと同時に、「トゥ」と息を出すと[t]の発音になります。best[bést]のように[t]の音で終わる語の場合、最後に「ォ」を加えて「ベストォ」と発音しないように注意しましょう。

CDを聞きながら単語の発音練習をしましょう。

〈[t]で始まる語〉

❶ table [téibl] テーブル ❷ teach [tíːtʃ] ～を教える
❸ topic [tápik] 話題 ❹ trouble [trʌ́bl] 困難
❺ turkey [tə́ːrki] 七面鳥 ❻ twelve [twélv] 12

〈[t]が中間にある語〉

❼ attend [əténd] ～に出席する ❽ continue [kəntínjuː] 続く
❾ obtain [əbtéin] ～を手に入れる ❿ stomach [stʌ́mək] 胃

〈[t]で終わる語〉

⓫ best [bést] 最もよい ⓬ carrot [kǽrət] にんじん
⓭ fit [fít] ～に合う ⓮ quiet [kwáiət] 静かな

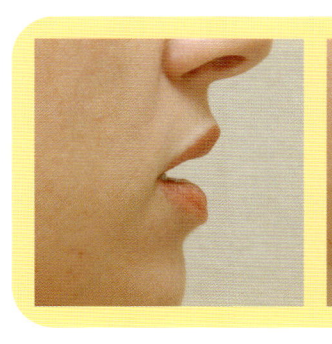

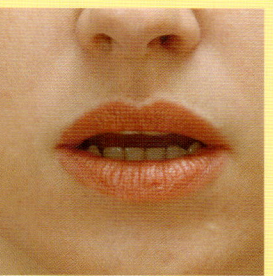

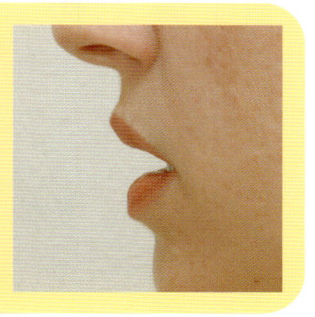

P [t]と[d]で始まる単語の発音を比べてみましょう。

舌の先を上歯ぐきにつけてから、急に離して「トゥ」と息を出すと [t] の発音になり、「ドゥ」と声を出すと [d] の発音になります。

	[t]			[d]	
⑮ tell	[tél]	～を話す	dell	[dél]	小さい谷
⑯ town	[táun]	町	down	[dáun]	下へ
⑰ train	[tréin]	列車	drain	[dréin]	～の排水をする
⑱ try	[trái]	～をためしてみる	dry	[drái]	かわいた

[t] の言葉遊びをしましょう。

⑲ **Ted** will **take** a **trip to Turkey.**　テッドはトルコへ出かけます。
⑳ **Ted** will **take** a **trip to Turkey today.**
　　　　　　　テッドは今日トルコへ出かけます。

CD 2 Track 11

✎ [t]の発音とつづり字　[t]はふつう t、tt とつづります。

〈t、tt と書いて [t] と発音する語〉

㉑ tail	[téil]	(動物の)尾	㉒ tongue	[tʌ́ŋ]	舌
㉓ traffic	[trǽfik]	交通	㉔ twice	[twáis]	2度
㉕ attack	[ətǽk]	～を攻撃する	㉖ little	[lítl]	小さい

[t]の発音　159

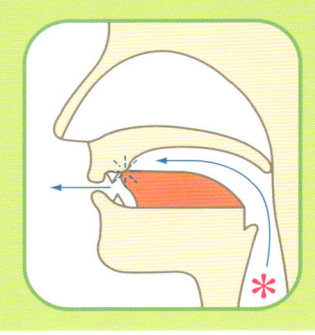

6 [d]の発音

[d]、[d]、[d]、[d] desk [désk] 机
舌先を上歯ぐきにつけてから
急に離して「ドゥ」と声を出そう

[d]の発音を練習しましょう。

[t]の発音と同じように、舌の先を上の歯ぐきにつけて、息の流れを止めます。舌の先を急にはじくように離すと同時に、「ドゥ」と発音しましょう。good [gúd]のように[d]の音が語の終わりにある場合、最後に「ォ」を加えて「グッドォ」と発音しないように気をつけましょう。

CDを聞きながら単語の発音練習をしましょう。

CD2 Track 12

〈[d]で始まる語〉

① daily [déili] 毎日の ② deep [díːp] 深い
③ dictionary [díkʃənèri] 辞書 ④ dinner [dínər] ディナー
⑤ door [dɔ́ːr] ドア ⑥ drop [dráp] 落ちる

〈[d]が中間にある語〉

⑦ cloudy [kláudi] 曇った ⑧ leader [líːdər] 指導者
⑨ needle [níːdl] 針 ⑩ pardon [páːrdn] 許すこと

〈[d]で終わる語〉

⑪ good [gúd] よい ⑫ stand [stǽnd] 立つ
⑬ tired [táiərd] 疲れた ⑭ world [wə́ːrld] 世界

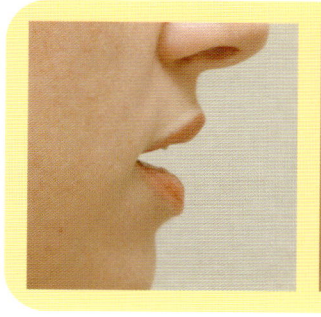

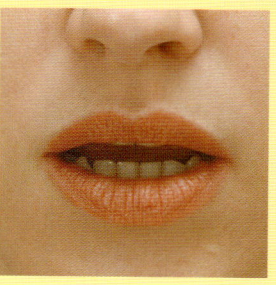

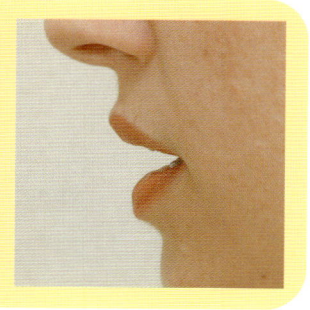

P [t]と[d]で終わる単語の発音を比べてみましょう。

[t]と[d]が最後にくる語の場合、語の終わりに「ォ」をつけて発音しないように注意してください。

	[t]			[d]	
⑮ neat	[níːt]	きちんとした	need	[níːd]	〜を必要とする
⑯ right	[ráit]	正しい	ride	[ráid]	乗る
⑰ site	[sáit]	用地	side	[sáid]	側(がわ)

[d]の言葉遊びをしましょう。

⑱ **Dean and Diana had a date.**
　　　　ディーンとダイアナはデートをしました。
⑲ **Dean and Diana had a delightful date.**
　　　　ディーンとダイアナは楽しいデートをしました。
⑳ **Dean and Diana had a delightful date in London.**
　　　　ディーンとダイアナはロンドンで楽しいデートをしました。

✏ [d]の発音とつづり字　[d]はふつう d、dd とつづります。

〈d、ddと書いて[d]と発音する語〉

㉑ December [disémbər] 12月　㉒ drawer [drɔ́ːr] 引き出し
㉓ addition [ədíʃən] 足し算　㉔ sudden [sʌ́dn] 突然の

CD 2 Track 12

[d]の発音　161

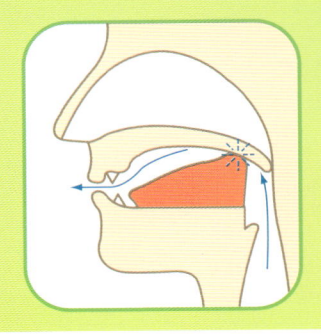

7 [k]の発音

[k]、[k]、[k]、[k]　cook [kúk] 料理する
舌の後ろを上あごにつけてから
急に離して「クッ」と息を出そう

[k] の発音を練習しましょう。

舌の後ろの部分を持ち上げて上あごの奥につけ、息の流れを止めます。舌を急に離すと同時に、「クッ」と息を出すと[k]の発音になります。black [blǽk]のように[k]の音が単語の終わりにくる場合、最後に「ゥ」を加えて「ブラックゥ」と発音しないように注意しましょう。

CD を聞きながら単語の発音練習をしましょう。

CD 2 Track 13

〈[k]で始まる語〉

❶ call　　　[kɔ́:l]　　～を呼ぶ
❷ Canada　[kǽnədə]　カナダ
❸ college　[kálidʒ]　大学
❹ cream　　[krí:m]　クリーム
❺ keep　　　[kí:p]　　～を持ち続ける
❻ kitchen　[kítʃən]　台所

〈[k]が中間にある語〉

❼ action　[ǽkʃən]　行動
❽ lucky　　[lʌ́ki]　　運のよい
❾ school　[skú:l]　学校
❿ ticket　　[tíkit]　　切符

〈[k]で終わる語〉

⓫ black　　[blǽk]　黒い
⓬ check　　[tʃék]　　～を調べる
⓭ knock　　[nák]　　たたく
⓮ stick　　　[stík]　　棒

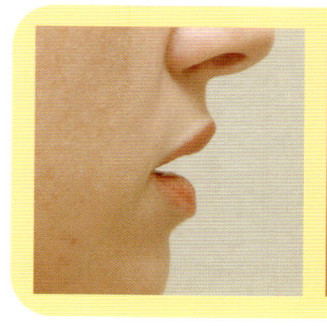

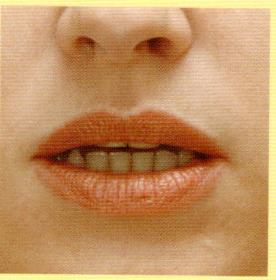

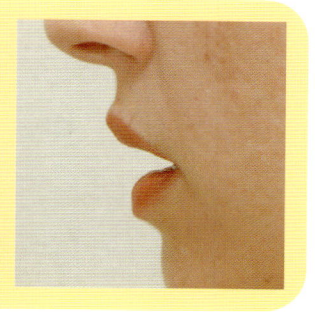

P [k]と[g]で始まる単語の発音を比べてみましょう。

舌の後ろの部分を持ち上げて、上あごの奥につけましょう。舌を急に離して「クッ」と息を出すと[k]の発音になり、「グッ」と声を出すと[g]の発音になります。

	[k]			[g]	
⑮ cave	[kéiv]	ほら穴	gave	[géiv]	giveの過去形
⑯ class	[klǽs]	クラス	glass	[glǽs]	グラス
⑰ coat	[kóut]	コート	goat	[góut]	やぎ
⑱ cold	[kóuld]	寒い	gold	[góuld]	金
⑲ crane	[kréin]	つる	grain	[gréin]	穀物
⑳ crow	[króu]	からす	grow	[gróu]	成長する

CD 2 Track 13

[k]の言葉遊びをしましょう。

㉑ **Be careful.**
　　　　　気をつけて。
㉒ **Be careful not to catch cold.**
　　　　　かぜを引かないように気をつけて。
㉓ **Be careful not to catch cold, Carol.**
　　　　　かぜを引かないように気をつけて、キャロル。

[k]の発音とつづり字

基礎1　[k]はふつう k、ck とつづります。

〈k、ckと書いて[k]と発音する語〉

❶ keen [kíːn] 激しい
❷ ketchup [kétʃəp] ケチャップ
❸ kettle [kétl] やかん
❹ king [kíŋ] 王
❺ duck [dʌ́k] あひる
❻ rock [rák] 岩

基礎2　[k]は c ともつづります。

cの後に a、o、u や子音字が続いたり、c が単語の最後にくる場合は、ふつう c を[k]と発音します。

〈cと書いて[k]と発音する語〉

(c + a)
❼ cage [kéidʒ] 鳥かご
❽ card [káːrd] カード

(c + o)
❾ contest [kántest] コンテスト
❿ cover [kʌ́vər] ～を覆(おお)う

(c + u)
⓫ culture [kʌ́ltʃər] 文化
⓬ curve [káːrv] 曲線

(c + 子音字)
⓭ clever [klévər] 利口な
⓮ crown [kráun] 王冠

(cが最後にくる語)
⓯ magic [mǽdʒik] 魔法
⓰ music [mjúːzik] 音楽

164　子音

基礎 3　[k] を ch とつづる場合もあります。

〈ch と書いて [k] と発音する語〉

⑰ character [kǽrəktər] 性格　⑱ chorus [kɔ́:rəs] 合唱
⑲ Christmas [krísməs] クリスマス　⑳ school [skú:l] 学校

基礎 4　qu を [kw クウ] と発音することがよくあります。

〈qu と書いて [kw] と発音する語〉

㉑ queen [kwí:n] 女王　㉒ quilt [kwílt] キルト
㉓ quite [kwáit] まったく　㉔ quiz [kwíz] 小テスト

基礎 5　x を [ks クス] と発音することがよくあります。

〈x と書いて [ks] と発音する語〉

㉕ except [iksépt] 〜以外は　㉖ mix [míks] 〜を混ぜる
㉗ next [nékst] 次の　㉘ six [síks] 6

練習問題

各組の単語の下線部の発音が同じなら○、違うなら×と答えてください。

㉙ { school / knock }　㉚ { call / place }　㉛ { black / coat }

答え　(29)○　(30)×　(31)○

[k]の発音　165

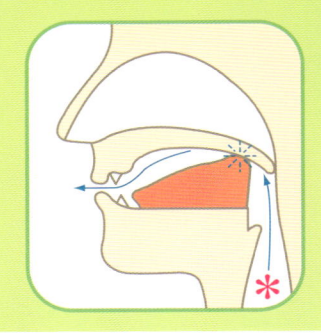

8 [g]の発音

[g]、[g]、[g]、[g] **gate** [géit] 門
舌の後ろを上あごにつけてから
急に離して「グッ」と声を出そう

[g] の発音を練習しましょう。

　舌の後ろの部分を持ち上げて上あごの奥につけ、息の流れを止めます。舌を急に離すと同時に、「グッ」と声を出すと[g]の発音になります。flag [flǽg] のように[g]の音が単語の終わりにある場合、最後に「ゥ」を加えて「フラッグゥ」と発音しないように気をつけましょう。

CDを聞きながら単語の発音練習をしましょう。

CD 2 Track 15

〈[g]で始まる語〉

❶ game	[géim]	試合	❷ goal	[góul]	ゴール
❸ grape	[gréip]	ぶどう	❹ green	[grí:n]	緑の
❺ guest	[gést]	客	❻ guide	[gáid]	ガイド

〈[g]が中間にある語〉

❼ degree	[digrí:]	程度	❽ eager	[í:gər]	熱心な
❾ English	[íŋgliʃ]	英語	❿ regard	[rigá:rd]	～と考える
⓫ tiger	[táigər]	とら	⓬ together	[təgéðər]	一緒に

〈[g]で終わる語〉

⓭ dig	[díg]	～を掘る	⓮ flag	[flǽg]	旗

166　子音

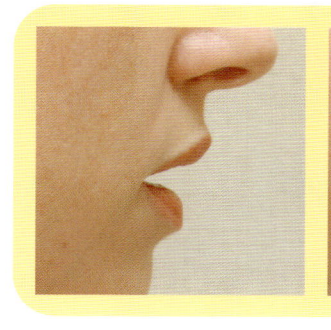

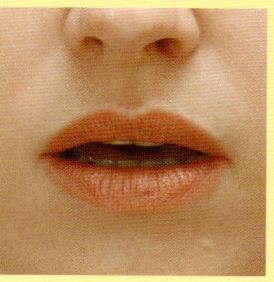

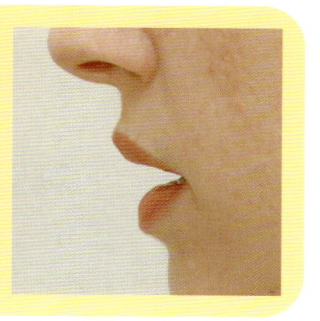

P [g]と[k]で終わる単語の発音を比べてみましょう。

[g]と[k]が単語の最後にくる場合、bag「バッグゥ」やback「バックゥ」のように、「ゥ」の音を加えて発音しないように注意しましょう。

	[g]			[k]	
⑮ bag	[bǽg]	かばん	back	[bǽk]	背中
⑯ lag	[lǽg]	おくれる	lack	[lǽk]	不足
⑰ pig	[píg]	豚	pick	[pík]	～をつむ
⑱ sag	[sǽg]	下がる	sack	[sǽk]	大袋
⑲ wig	[wíg]	かつら	wick	[wík]	ろうそくのしん

[g]の言葉遊びをしましょう。

⑳ **Greg was glad.**
　　　　　グレッグは喜びました。
㉑ **Greg was glad to meet a guitarist.**
　　　　　グレッグはギター奏者に会って喜びました。
㉒ **Greg was glad to meet a great guitarist.**
　　　　　グレッグは偉大なギター奏者に会って喜びました。

[g]の発音とつづり字

基礎 [g]はふつう g、gg とつづります。

gの後に a、o、u や子音字が続いたり、g が単語の終わりにくる場合は、ふつう g を[g]と発音します。

〈gと書いて[g]と発音する語〉

(g + a)
1. gain [géin] ～を得る
2. gallery [gǽləri] 画廊
3. garden [gáːrdn] 庭園
4. garlic [gáːrlik] にんにく

(g + o)
5. golden [góuldən] 金色の
6. gorilla [gərílə] ゴリラ
7. govern [gʌ́vərn] ～を治める
8. gown [gáun] ガウン

(g + u)
9. gulf [gʌ́lf] 湾
10. gull [gʌ́l] かもめ

(g + 子音字)
11. glide [gláid] すべる
12. grand [grǽnd] 雄大な

(g で終わる語)
13. beg [bég] ～を頼む
14. fig [fíg] いちじく

〈ggと書いて[g]と発音する語〉

15. egg [ég] 卵
16. struggle [strʌ́gl] もがく

> 発展　すぐ後に強く発音する母音が続く場合、ex- の x はふつう [gz グズ] と発音します。

〈xと書いて[gz]と発音する語〉

❶ exact　　[igzǽkt]　正確な　　❶ examine [igzǽmin]　〜を調べる
❶ example [igzǽmpl]　例　　　　❷ exist　　[igzíst]　　存在する

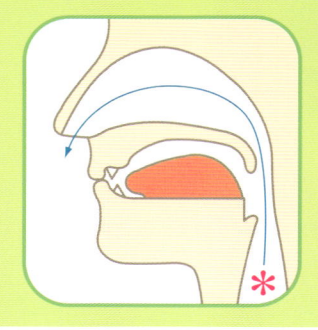

9 [m]の発音

[m]、[m]、[m]、[m]
moon [mú:n] 月
唇を閉じ「ム」と鼻から声を出そう

[m] の発音を練習しましょう。

唇をしっかりと閉じて、鼻から「ム」と声を出すと[m]の発音をすることができます。[m]、[n]、[ŋ]は息を鼻に通して出す有声の音で、鼻音（びおん）と呼ばれています。

CDを聞きながら単語の発音練習をしましょう。

CD 2 Track 17

〈[m]で始まる語〉

❶ make [méik] 〜を作る
❷ many [méni] たくさんの
❸ March [má:rtʃ] 3月
❹ mean [mí:n] 〜を意味する
❺ middle [mídl] 真ん中
❻ Monday [mʌ́ndèi] 月曜日
❼ mouse [máus] はつかねずみ
❽ move [mú:v] 動く

〈[m]が中間にある語〉

❾ company [kʌ́mpəni] 会社
❿ empty [émpti] からの
⓫ formal [fɔ́:rməl] 正式の
⓬ simple [símpl] 簡単な

〈[m]で終わる語〉

⓭ bottom [bátəm] 底
⓮ custom [kʌ́stəm] 慣習
⓯ home [hóum] 家庭
⓰ seem [sí:m] 〜らしい

170　子音

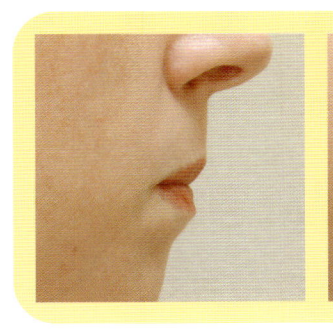

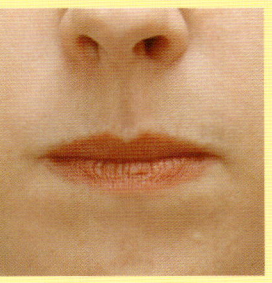

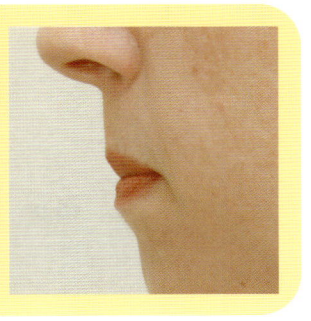

P [m]と[n]で始まる単語の発音を比べてみましょう。

[m]は唇を閉じて、「ム」と鼻から声を出します。[n]は口を少し開けて舌の先を上の歯ぐきにつけ、「ヌ」と鼻から声を出しましょう。

	[m]			[n]	
⑰ mail	[méil]	郵便	nail	[néil]	つめ
⑱ map	[mǽp]	地図	nap	[nǽp]	昼寝
⑲ meet	[míːt]	〜に会う	neat	[níːt]	きちんとした
⑳ mine	[máin]	私のもの	nine	[náin]	9

[m] の言葉遊びをしましょう。

㉑ **May made her mother marmalade.**
　　　メイはお母さんにマーマレードを作ってあげました。
㉒ **May made her mother marmalade on Mother's Day.**
　　　メイは母の日にお母さんにマーマレードを作ってあげました。

[m] の発音とつづり字   [m]は m、mm とつづります。

〈m、mmと書いて[m]と発音する語〉

㉓ main　　[méin]　　主な
㉔ mistake　[mistéik]　誤り
㉕ common　[kámən]　共通の
㉖ hammer　[hǽmər]　金づち

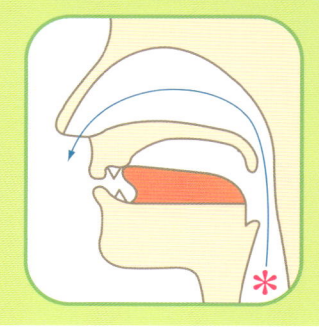

10 [n]の発音

[n]、[n]、[n]、[n]　**nose** [nóuz] 鼻
口を少し開け、舌先を上歯ぐきにつけて「ヌ」と鼻から声を出そう

[n] の発音を練習しましょう。

　口を少し開け、舌の先を上の歯ぐきにつけて鼻から「ヌ」と声を出しましょう。口を閉じると[m]の音になってしまいますので気をつけてください。

CD 2 Track 18

CD を聞きながら単語の発音練習をしましょう。

〈[n]で始まる語〉

① narrow [nǽrou] せまい　② nature [néitʃər] 自然
③ neck [nék] 首　④ nest [nést] 巣
⑤ niece [níːs] めい　⑥ night [náit] 夜
⑦ number [nʌ́mbər] 数　⑧ nurse [nə́ːrs] 看護師

〈[n]が中間にある語〉

⑨ connect [kənékt] 〜をつなぐ　⑩ instead [instéd] 代わりに
⑪ once [wʌ́ns] 1度　⑫ since [síns] 〜以来

〈[n]で終わる語〉

⑬ brain [bréin] 脳　⑭ clean [klíːn] 清潔な
⑮ explain [ikspléin] 〜を説明する　⑯ pattern [pǽtərn] 型

172　子音

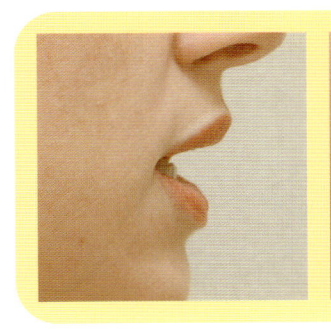

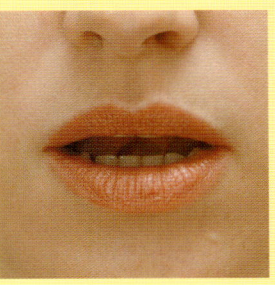

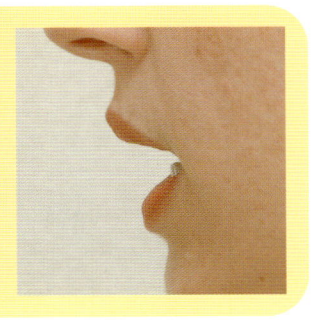

P [n]と[m]で終わる単語の発音を比べてみましょう。

　[n]は口を少し開け、舌の先を上の歯ぐきにつけて「ヌ」と鼻から声を出して発音します。[m]は唇を閉じ、「ム」と鼻から声を出して発音しましょう。

	[n]			[m]	
⑰ son	[sʌ́n]	息子	some	[sʌ́m]	いくらかの
⑱ then	[ðén]	その時	them	[ðém]	彼らを
⑲ turn	[tə́ːrn]	まわる	term	[tə́ːrm]	期間
⑳ warn	[wɔ́ːrn]	〜に注意する	warm	[wɔ́ːrm]	暖かい

CD 2 Track 18

[n] の言葉遊びをしましょう。

㉑ **no news** 便りがない
㉒ **good news** よい便り
㉓ **No news is good news.** 便りのないのはよい便り。

[n]の発音とつづり字

[n]は n、nn とつづります。

〈n、nnと書いて[n]と発音する語〉

㉔ network [nétwə̀ːrk] ネットワーク　㉕ notebook [nóutbùk] ノート
㉖ runner [rʌ́nər] 走者　㉗ sunny [sʌ́ni] 晴れた

11 [ŋ]の発音

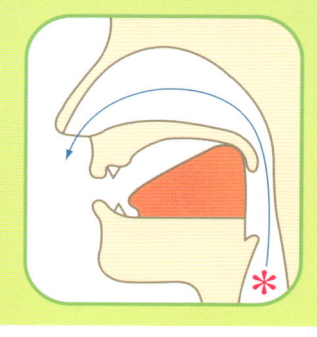

[ŋ]、[ŋ]、[ŋ]、[ŋ] **sing** [síŋ] 歌う
舌の後ろを上あごの奥につけて
「ンㇰ゙」と鼻から声を出そう

[ŋ]の発音を練習しましょう。

舌の後ろの部分を持ち上げて上あごの奥につけ、鼻から「ンㇰ゙」とやわらかく声を出しましょう。「ㇰ゙」は鼻からぬけていくような音で、はっきりと発音しません。

CDを聞きながら単語の発音練習をしましょう。

CD2 Track 19

〈[ŋ]が中間にある語〉

① bank   [bǽŋk]   銀行
② hanger [hǽŋər]   ハンガー
③ pink   [píŋk]   ピンク色の
④ singer [síŋər]   歌手
⑤ think   [θíŋk]   ～と思う
⑥ trunk   [trʌ́ŋk]   (木の)幹

〈[ŋ]で終わる語〉

⑦ among   [əmʌ́ŋ]   ～の中に
⑧ ceiling [síːliŋ]   天井
⑨ clothing [klóuðiŋ]   衣類
⑩ feeling [fíːliŋ]   感覚
⑪ fishing [fíʃiŋ]   魚つり
⑫ lightning [láitniŋ] 稲妻
⑬ spelling [spéliŋ]   つづり
⑭ string   [stríŋ]   ひも
⑮ swing   [swíŋ]   揺れる
⑯ wrong   [rɔ́ːŋ]   まちがった

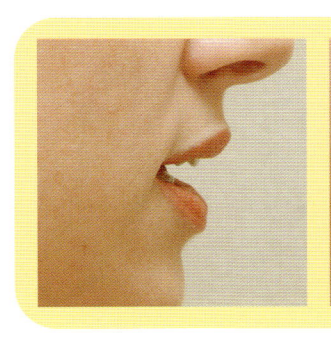

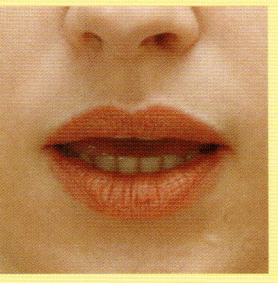

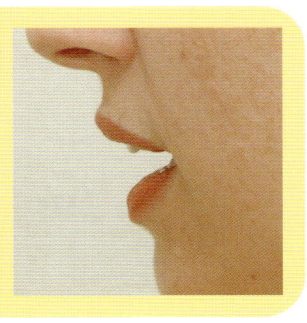

P [g]と[ŋ]の発音を比べてみましょう。

[g]と[ŋ]は舌の後ろを上あごの奥につけて発音します。舌を離して「グッ」と言うと[g]の発音になります。「ンｸﾞ」と鼻から声を出すと[ŋ]の発音になります。

[g]
- ⑰ bag [bǽg] かばん
- ⑱ hug [hʌ́g] ～を抱きしめる
- ⑲ rig [ríg] ～を装備する
- ⑳ wig [wíg] かつら

[ŋ]
- bang [bǽŋ] ～をばたんと閉める
- hung [hʌ́ŋ] hangの過去・過去分詞形
- ring [ríŋ] 指輪
- wing [wíŋ] つばさ

CD 2 Track 19

[ŋ]の言葉遊びをしましょう。

㉑ A **starling** is **singing** a **song**.
　　　　ほしむくどりが歌を歌っています。
㉒ A **starling** is **singing** a **song** of **spring**.
　　　　ほしむくどりが春の歌を歌っています。

✎ [ŋ]の発音とつづり字
[ŋ]はふつう ng とつづります。
[ŋ]を n とつづることもよくあります。

〈ng、nと書いて[ŋ]と発音する語〉
㉓ hang [hǽŋ] ～をかける　　㉔ sink [síŋk] 沈む

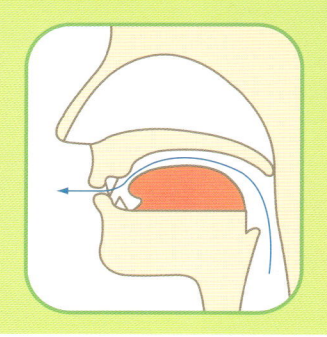

12 [f]の発音

[f]、[f]、[f]、[f] **food** [fúːd] 食物
上の歯で下唇を軽く押さえ
「フ」と息を出そう

[f] の発音を練習しましょう。

　上の歯で下唇の内側を軽く押さえ、歯と唇のすき間から強く「フ」と息を出して発音します。日本語の「フ」にならないように、必ず上の歯で下唇を押さえて発音してください。

CD 2 Track 20

CD を聞きながら単語の発音練習をしましょう。

〈[f]で始まる語〉

① fact [fǽkt] 事実　　② far [fáːr] 遠くに
③ fence [féns] 囲い　　④ field [fíːld] 畑
⑤ find [fáind] 〜を見つける　　⑥ finish [fíniʃ] 〜を終える
⑦ fork [fɔ́ːrk] フォーク　　⑧ fresh [fréʃ] 新鮮な

〈[f]が中間にある語〉

⑨ alphabet [ǽlfəbèt] アルファベット　　⑩ effort [éfərt] 努力
⑪ elephant [éləfənt] 象　　⑫ telephone [téləfòun] 電話

〈[f]で終わる語〉

⑬ cough [kɔ́ːf] せきをする　　⑭ safe [séif] 安全な
⑮ tough [tʌ́f] ねばり強い　　⑯ wife [wáif] 妻

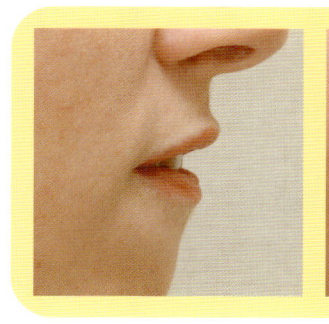

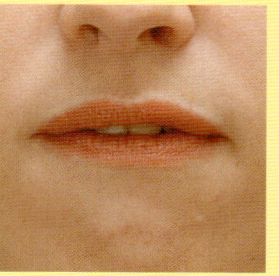

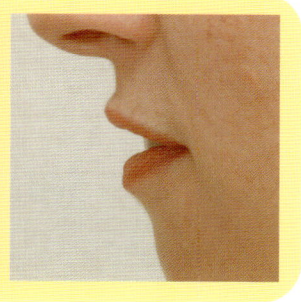

P [f]と[v]の発音を比べてみましょう。

　上の歯で下唇を軽く押さえて、そのすき間から「フ」と息を出すと[f]の発音になり、「ヴ」と声を出すと[v]の発音になります。

	[f]			[v]	
⑰ face	[féis]	顔	vase	[véis]	花びん
⑱ fan	[fǽn]	うちわ	van	[vǽn]	屋根付きトラック
⑲ fast	[fǽst]	速い	vast	[vǽst]	広大な
⑳ feel	[fíːl]	～を感じる	veal	[víːl]	子牛の肉
㉑ few	[fjúː]	ほとんどない	view	[vjúː]	景色

[f] の言葉遊びをしましょう。

㉒ **five fine fishermen**
　　　　　　　5人の立派な漁師
㉓ **five fine fishermen's favorite food**
　　　　　　　5人の立派な漁師の大好きな食べ物
㉔ **Five fine fishermen's favorite food is fish.**
　　　　　　　5人の立派な漁師の大好きな食べ物は魚です。
㉕ **Five fine fishermen feel full.**
　　　　　　　5人の立派な漁師はお腹がいっぱい。

CD 2　Track 20

[f]の発音とつづり字

基礎1 [f]はふつう f、ff、ph とつづります。

〈fと書いて[f]と発音する語〉

❶ factory [fǽktəri] 工場
❷ faith [féiθ] 信頼
❸ favor [féivər] 好意
❹ fever [fíːvər] （病気の）熱
❺ flat [flǽt] 平らな
❻ flow [flóu] 流れる
❼ form [fɔ́ːrm] 形式
❽ freeze [fríːz] 凍る

〈ffと書いて[f]と発音する語〉

❾ afford [əfɔ́ːrd] 〜する余裕がある
❿ cliff [klíf] がけ
⓫ differ [dífər] 違う
⓬ official [əfíʃəl] 公式の
⓭ stuff [stʌ́f] 材料
⓮ suffer [sʌ́fər] （病気に）かかる

〈phと書いて[f]と発音する語〉

CD 2 Track 21

⓯ biography [baiágrəfi] 伝記
⓰ graph [grǽf] 図表
⓱ nephew [néfjuː] おい
⓲ pheasant [fézənt] （鳥）きじ
⓳ philosophy [filásəfi] 哲学
⓴ photograph [fóutəgrǽf] 写真

178　子音

基礎2 [f]を gh とつづる場合があります。

〈ghと書いて[f]と発音する語〉

㉑ enough [inʌ́f] 十分な
㉒ laugh [lǽf] 笑う
㉓ rough [rʌ́f] ざらざらした
㉔ tough [tʌ́f] ねばり強い

Notes gh は発音しないこともあります。発音しない文字を黙字（もくじ）と言います。次の語の gh は黙字で発音しません。

high	[hái	ハイ]	高い
sigh	[sái	サイ]	ため息をつく
though	[ðóu	ゾウ]	～だけれども
weigh	[wéi	ウェイ]	重さが～ある

練習問題

各組の単語の下線部の発音が同じなら○、違うなら×と答えてください。

㉕ { high / telephone }　㉖ { elephant / effort }　㉗ { enough / food }

㉘ { laugh / though }　㉙ { fork / cough }　㉚ { graph / fresh }

㉛ { tough / weigh }　㉜ { alphabet / find }　㉝ { rough / finish }

答え　(25)×　(26)○　(27)○　(28)×　(29)○　(30)○　(31)×　(32)○　(33)○

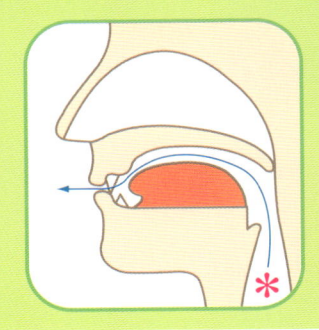

13 [v]の発音

[v]、[v]、[v]、[v] **vase** [véis] 花びん
上の歯で下唇を軽く押さえ
「ヴ」と言ってみよう

[v] の発音を練習しましょう。

上の歯で下唇の内側を軽く押さえ、歯と唇のすき間から「ヴ」と声を出しましょう。歯で唇を押さえずに発音すると、[b] の音になってしまうので注意してください。

CDを聞きながら単語の発音練習をしましょう。

CD2 Track 22

〈[v]で始まる語〉

① valley [væli] 谷
② value [vælju:] 価値
③ vegetable [védʒtəbl] 野菜
④ video [vídiòu] ビデオ
⑤ village [vílidʒ] 村
⑥ vinegar [vínigər] 酢
⑦ violin [vàiəlín] バイオリン
⑧ vote [vóut] 投票

〈[v]が中間にある語〉

⑨ advice [ədváis] 忠告
⑩ develop [divéləp] 発達する
⑪ never [névər] 決して〜ない
⑫ seven [sévən] 7

〈[v]で終わる語〉

⑬ brave [bréiv] 勇ましい
⑭ dive [dáiv] 水にもぐる
⑮ receive [risí:v] 〜を受け取る
⑯ save [séiv] 〜を救う

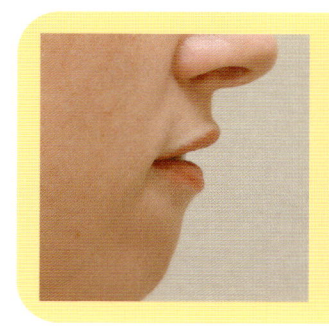

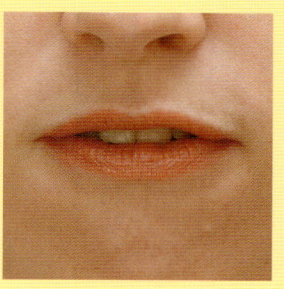

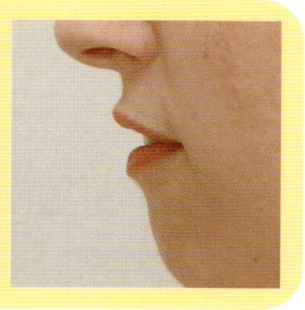

P [b]と[v]の発音を比べてみましょう。

　[b]は唇を閉じてから、急に「ブッ」と声を出して発音します。[v]は上の歯で下唇を軽く押さえ、そのすき間から「ヴ」と声を出します。

	[b]			[v]	
⑰ bat	[bǽt]	バット	vat	[vǽt]	大おけ
⑱ berry	[béri]	ベリー(いちご類の果実)	very	[véri]	非常に
⑲ best	[bést]	最もよい	vest	[vést]	ベスト
⑳ boat	[bóut]	ボート	vote	[vóut]	投票

[v]の言葉遊びをしましょう。

㉑ **Violet visited Venice and Vienna.**
　　　　　バイオレットはベニスとウィーンを訪れました。
㉒ **Violet visited Venice and Vienna on vacation.**
　　　　　バイオレットは休暇を取ってベニスとウィーンを訪れました。

✏ [v]の発音とつづり字　　[v]はふつう v とつづります。

〈vと書いて[v]と発音する語〉

㉓ variety [vəráiəti] さまざま　　㉔ volleyball [válibɔ̀:l] バレーボール

Notes　of [áv　アヴ] (〜の) の f は例外的に [v] と発音します。

CD 2 Track 22

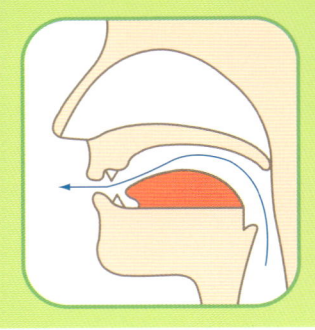

14 [h]の発音

[h]、[h]、[h]、[h] **house** [háus] 家
のどの奥から「ハッ」と
息を出して発音しよう

[h] の発音を練習しましょう。

口を自然に開けたまま、のどの奥から「ハッ」と息を出して[h]の発音をしましょう。[h]が含まれた単語を発音する場合、口の形は[h]の次にくる母音を発音する時の形になります。

CDを聞きながら単語の発音練習をしましょう。

〈[h]で始まる語〉

① happy [hǽpi] 幸福な　② harbor [háːrbər] 港
③ heat [híːt] 熱　④ heavy [hévi] 重い
⑤ help [hélp] 〜を手伝う　⑥ hide [háid] 〜を隠す
⑦ history [hístəri] 歴史　⑧ hope [hóup] 希望
⑨ hospital [háspitl] 病院　⑩ hundred [hʌ́ndrəd] 100
⑪ hurt [hə́ːrt] 痛む　⑫ husband [hʌ́zbənd] 夫

〈[h]が中間にある語〉

⑬ ahead [əhéd] 前方に　⑭ behind [biháind] 後ろに
⑮ childhood [tʃáildhùd] 子供の時　⑯ perhaps [pərhǽps] たぶん

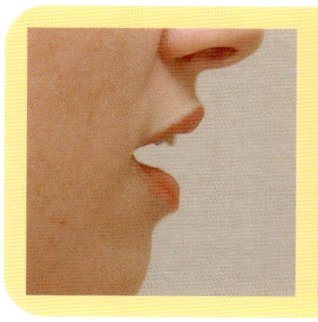

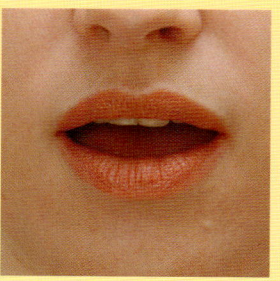

P [h]と[f]の発音を比べてみましょう。

[h]はのどの奥から「ハッ」と息を出して発音します。[f]は上の歯で下唇を軽く押さえ、そのすき間から「フ」と息を出して発音しましょう。

	[h]				[f]	
⑰ hair	[héər]	髪の毛	fair	[féər]	公平な
⑱ hall	[hɔ́:l]	会館	fall	[fɔ́:l]	落ちる
⑲ hold	[hóuld]	～を手に持つ	fold	[fóuld]	～を折りたたむ
⑳ honey	[hʌ́ni]	はちみつ	funny	[fʌ́ni]	おかしい

[h] の言葉遊びをしましょう。

㉑ **Hit a home run, Harry!**
　　　　ホームランを打て、ハリー！

㉒ **Harry hit the hundredth home run!**
　　　　ハリーは100本目のホームランを打ちました！

[h] の発音とつづり字　　[h]はふつう h とつづります。

〈hと書いて[h]と発音する語〉

㉓ handle [hǽndl] 取っ手　　㉔ harmony [há:rməni] 調和
㉕ health [hélθ] 健康　　㉖ horizon [həráizn] 地平線

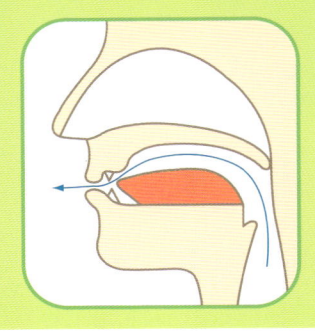

15 [s]の発音

[s]、[s]、[s]、[s] **smile** [smáil] ほほえむ
舌の先を上の歯の裏に近づけて
そのすき間から「ス」と息を出そう

[s] の発音を練習しましょう。

舌の先を上の歯の裏に近づけましょう。舌と歯のすき間から強く「ス」と息を出すと、[s]の発音をすることができます。

CDを聞きながら単語の発音練習をしましょう。

CD2 Track 24

〈[s]で始まる語〉

① center [séntər] 中心
② city [síti] 都市
③ seed [síːd] 種
④ set [sét] 〜を用意する
⑤ sick [sík] 病気の
⑥ slow [slóu] おそい
⑦ sport [spóːrt] スポーツ
⑧ street [stríːt] 通り

〈[s]が中間にある語〉

⑨ also [ɔ́ːlsou] 〜もまた
⑩ baseball [béisbɔ̀ːl] 野球
⑪ discover [diskʌ́vər] 〜を発見する
⑫ lesson [lésn] レッスン

〈[s]で終わる語〉

⑬ guess [gés] 〜を推測する
⑭ miss [mís] 〜をしそこなう
⑮ peace [píːs] 平和
⑯ universe [júːnəvə̀ːrs] 宇宙

184 子音

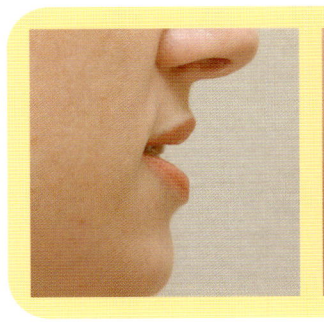

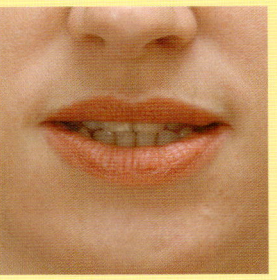

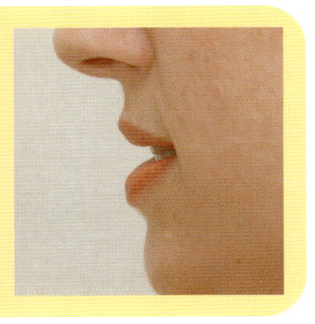

P [s]と[z]で始まる単語の発音を比べてみましょう。

舌先を上の歯の裏に近づけて、そのすき間から「ス」と息を出すと[s]の発音になり、「ズ」と声を出すと[z]の発音になります。

	[s]			[z]	
⑰ seal	[síːl]	あざらし	zeal	[zíːl]	熱心
⑱ sing	[síŋ]	歌う	zing	[zíŋ]	元気
⑲ sip	[síp]	〜を少しずつ飲む	zip	[zíp]	勢いよく進む
⑳ sue	[súː]	〜を訴える	zoo	[zúː]	動物園

[s] の言葉遊びをしましょう。

CD 2 Track 24

㉑ **Sam was surprised.**
　　　　　　サムは驚きました。
㉒ **Sam was so surprised.**
　　　　　　サムはとても驚きました。
㉓ **Sam was so surprised to see seven snowmen.**
　　　　　　サムは7個の雪だるまを見てとても驚きました。
㉔ **Sam was so surprised to see seven snowmen in a sleigh.**
　　　　　　サムはそりに乗った7個の雪だるまを見てとても驚きました。

[s]の発音とつづり字

基礎1 [s]はふつう s、ss とつづります。

〈s、ssと書いて[s]と発音する語〉

❶ salad [sǽləd] サラダ　　❷ press [prés] ～を押す

基礎2 [s]は c ともつづります。

cの後にe、i、yが続く場合、ふつうcを[s]と発音します。

〈cと書いて[s]と発音する語〉

(c + e)
❸ celebrate [séləbrèit] ～を祝う　　❹ center [séntər] 中心

(c + i)
❺ city [síti] 都市　　❻ exciting [iksáitiŋ] おもしろくてたまらない

(c + y)
❼ bicycle [báisikl] 自転車　　❽ icy [áisi] 氷の

練習問題

各組の単語の下線部の発音が同じなら○、違うなら×と答えてください。

❾ { center / close }　　❿ { also / bicycle }　　⓫ { cold / city }

答え　(9)×　(10)○　(11)×

186　子音

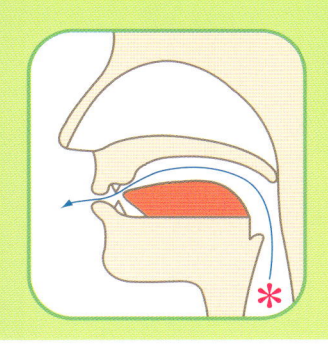

16 [z]の発音

[z]、[z]、[z]、[z]　zoo　[zú:]　動物園
舌の先を上の歯の裏に近づけて
そのすき間から「ズ」と声を出そう

[z]の発音を練習しましょう。

[s]の発音と同じように、舌の先を上の歯の裏に近づけます。舌と歯のすき間から「ズ」と声を出しましょう。

CDを聞きながら単語の発音練習をしましょう。

〈[z]で始まる語〉

1. zebra [zí:brə] しまうま
2. zipper [zípər] ジッパー
3. zone [zóun] 地帯
4. zoo [zú:] 動物園

〈[z]が中間にある語〉

5. busy [bízi] 忙しい
6. lazy [léizi] なまけている
7. noisy [nóizi] やかましい
8. observe [əbzə́:rv] ～を観察する
9. present [préznt] 現在の
10. result [rizʌ́lt] 結果

〈[z]で終わる語〉

11. always [ɔ́:lweiz] 常に
12. breeze [brí:z] そよ風
13. cause [kɔ́:z] 原因
14. prize [práiz] 賞
15. quiz [kwíz] 小テスト
16. size [sáiz] サイズ

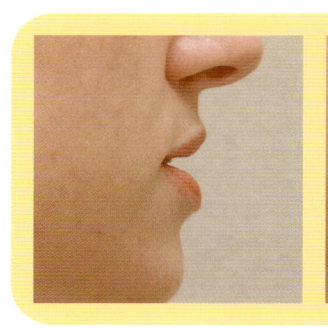

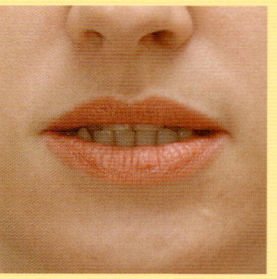

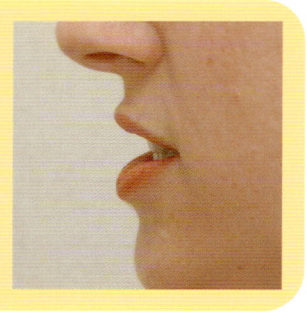

P [s]と[z]で終わる単語の発音を比べてみましょう。

[s]と[z]は舌の先を上の歯の裏に近づけて、そのすき間から出す音です。「ス」と息を出すと[s]になり、「ズ」と声を出すと[z]の発音になります。

	[s]			[z]	
⑰ bus	[bÁs]	バス	buzz	[bÁz]	ぶんぶんという音
⑱ fuss	[fÁs]	大騒ぎ	fuzz	[fÁz]	綿毛
⑲ lace	[léis]	（靴などの）ひも	laze	[léiz]	なまける
⑳ loose	[lúːs]	ゆるい	lose	[lúːz]	〜を失う
㉑ race	[réis]	競争	raise	[réiz]	〜を上げる
㉒ rice	[ráis]	ごはん	rise	[ráiz]	昇る

[z] の言葉遊びをしましょう。

㉓ **Zelda is crazy about puzzles.**
　　　　　　ゼルダはパズルに夢中です。
㉔ **Zelda is crazy about puzzles in magazines.**
　　　　　　ゼルダは雑誌のパズルに夢中です。
㉕ **Zelda is always crazy about puzzles in magazines.**
　　　　　　ゼルダはいつも雑誌のパズルに夢中です。

[z]の発音とつづり字

基礎1 [z]はふつう z、zz とつづります。

⟨z、zzと書いて[z]と発音する語⟩
❶ frozen [fróuzn] 凍った
❷ zoology [zouálədʒi] 動物学
❸ dizzy [dízi] 目がまわる
❹ jazz [dʒǽz] ジャズ

基礎2 [z]を s とつづることがよくあります。この場合の s は、単語の中間と最後にきます。

⟨sと書いて[z]と発音する語⟩
❺ pansy [pǽnzi] 三色すみれ
❻ visit [vízit] 〜を訪れる
❼ as [ǽz] 〜のように
❽ his [híz] 彼の

Notes 単語の中間にある ss はふつう[s]と発音しますが、次のように[z]と発音する語もあります。
　　dessert [dizə́:rt　ディ**ザ**ートゥ] デザート
　　scissors [sízərz　**ス**ィザァズ　] はさみ

CD 2 Track 27

練習問題

各組の単語の下線部の発音が同じなら○、違うなら×と答えてください。

❾ { busy / zebra }　❿ { always / tennis }　⓫ { dessert / lesson }

答え　（9）○　（10）×　（11）×

[z]の発音　189

17 [θ]の発音

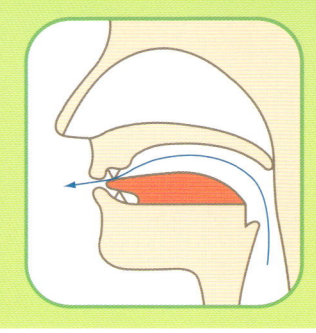

[θ]、[θ]、[θ]、[θ] **three** [θríː] 3
舌先を軽くかみ、舌と歯のすき間から「ス」と息を出そう

[θ] の発音を練習しましょう。

舌の先を上下の歯で軽くかみ、舌と歯のすき間から「ス」と息を出すと[θ]の発音になります。thank [θǽŋk]など[θ]の音が含まれた単語を発音する時は、上下の歯で軽くかんだ舌先を後ろに引いて発音します。

CD を聞きながら単語の発音練習をしましょう。

〈[θ]で始まる語〉

❶ thank	[θǽnk]	～に感謝する	❷ theater	[θíːətər]	劇場
❸ thing	[θíŋ]	物	❹ thirsty	[θə́ːrsti]	のどがかわいた
❺ thousand	[θáuznd]	1000	❻ thread	[θréd]	糸
❼ through	[θrúː]	～を通して	❽ Thursday	[θə́ːrzdèi]	木曜日

〈[θ]が中間にある語〉

❾ birthday	[bə́ːrθdèi]	誕生日	❿ everything	[évriθìŋ]	何もかも
⓫ healthy	[hélθi]	健康な	⓬ nothing	[nʌ́θiŋ]	何も～ない

〈[θ]で終わる語〉

⓭ bath	[bǽθ]	入浴	⓮ fifth	[fífθ]	第5の
⓯ month	[mʌ́nθ]	（暦の）月	⓰ tooth	[túːθ]	歯

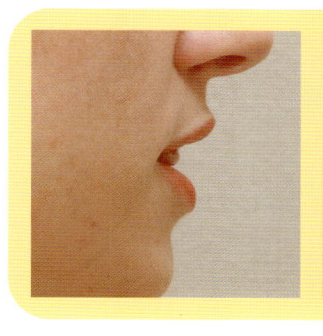

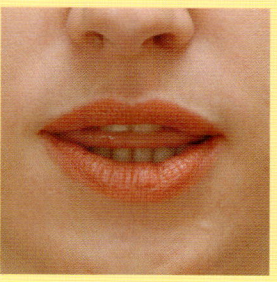

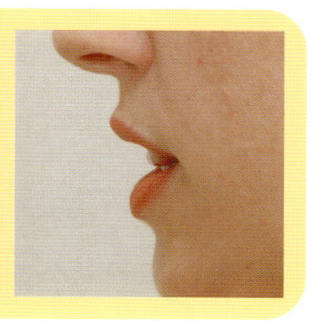

P [s]と[θ]の発音を比べてみましょう。

舌先を上の歯の裏に近づけて「ス」と息を出すと[s]の発音になり、舌先を軽くかんで「ス」と息を出すと[θ]の発音になります。

	[s]			[θ]	
⑰ sick	[sík]	病気の	thick	[θík]	厚い
⑱ sink	[síŋk]	沈む	think	[θíŋk]	〜と思う
⑲ some	[sʌ́m]	いくらかの	thumb	[θʌ́m]	(手の)親指

[θ]の言葉遊びをしましょう。

⑳ **Beth was thrilled.**
ベスはふるえました。

㉑ **Beth was thrilled at the thunder.**
ベスは雷にふるえました。

㉒ **Beth was thrilled at the threatening thunder.**
ベスは怖い雷にふるえました。

[θ]の発音とつづり字   [θ]は th とつづります。

〈th と書いて[θ]と発音する語〉

| ㉓ thigh | [θái] | もも | ㉔ thin | [θín] | うすい |
| ㉕ thirty | [θə́ːrti] | 30 | ㉖ throw | [θróu] | 〜を投げる |

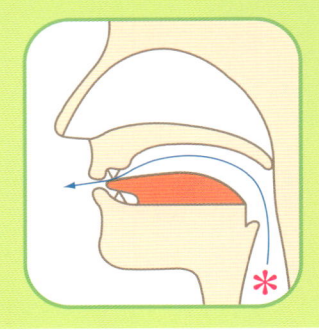

18 [ð]の発音

[ð]、[ð]、[ð]、[ð] that [ðǽt] あれ
舌先を軽くかみ、舌と歯のすき間から「ズ」と声を出そう

[ð] の発音を練習しましょう。

舌の先を上下の歯で軽くかみ、舌と歯のすき間から「ズ」と声を出すと[ð]の発音になります。this[ðís]など[ð]の音が含まれた単語を発音する時は、軽くかんだ舌先を後ろに引いて[ð]と発音します。

CDを聞きながら単語の発音練習をしましょう。

CD 2 Track 29

〈[ð]で始まる語〉

① than [ðǽn] ～よりも
② these [ðí:z] これら
③ they [ðéi] 彼らは
④ this [ðís] これ
⑤ those [ðóuz] それら
⑥ though [ðóu] ～だけれども

〈[ð]が中間にある語〉

⑦ brother [brʌ́ðər] 兄、弟
⑧ feather [féðər] 羽
⑨ gather [gǽðər] ～を集める
⑩ other [ʌ́ðər] ほかの
⑪ rather [rǽðər] かなり
⑫ rhythm [ríðm] リズム
⑬ southern [sʌ́ðərn] 南の
⑭ weather [wéðər] 天気

〈[ð]で終わる語〉

⑮ smooth [smú:ð] なめらかな
⑯ soothe [sú:ð] ～をなだめる

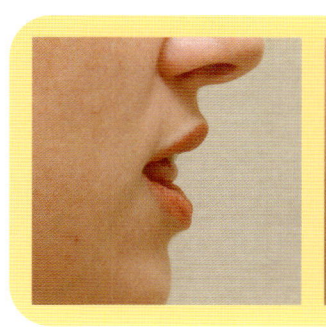

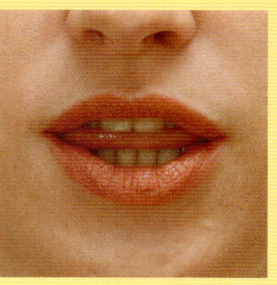

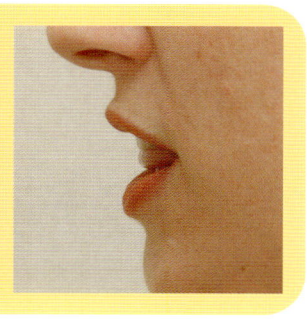

P [θ]と[ð]の発音を比べてみましょう。

　舌先を軽くかんで舌と歯のすき間から「ス」と息を出すと[θ]の発音になり、「ズ」と声を出すと[ð]の発音になります。次の左側の単語は名詞で、右側の単語は動詞です。

　　　　　　　[θ]　　　　　　　　　　　　　　　[ð]
⑰ breath　[bréθ]　呼吸　　　　breathe　[bríːð]　呼吸する
⑱ mouth　[máuθ]　口　　　　　mouth　　[máuð]　気取って言う
⑲ teeth　 [tíːθ]　toothの複数形　teethe　 [tíːð]　歯が生える
⑳ wreath　[ríːθ]　花輪　　　　 wreathe　[ríːð]　（花輪）を作る

[ð] の言葉遊びをしましょう。

㉑ my mother and father
　　　　　　私の父と母
㉒ My mother and father went to the Netherlands.
　　　　　　私の父と母はオランダへ行きました。
㉓ My mother and father went to the Netherlands together.
　　　　　　私の父と母は一緒にオランダへ行きました。
㉔ They enjoyed themselves there.
　　　　　　そこで楽しく過ごしました。

[ð] の発音とつづり字

基礎 [θ]と同じように、[ð]も th とつづります。

〈thと書いて[ð]と発音する語〉

❶ bother [báðər] ～を悩ます　　❷ farther [fá:rðər] もっと遠くへ
❸ then [ðén] その時　　❹ worthy [wə́:rði] 価値のある

Notes th はふつう[θ]または[ð]と発音しますが、this、that、they など th で始まる代名詞は[ð]と発音します。

練習問題

各組の単語の下線部の発音が同じなら○、違うなら×と答えてください。

❺ { thank / these }　　❻ { brother / birthday }　　❼ { bath / month }

❽ { they / rather }　　❾ { smooth / fifth }　　❿ { than / weather }

⓫ { this / thousand }　　⓬ { other / everything }　　⓭ { that / though }

答え　(5)×　(6)×　(7)○　(8)○　(9)×　(10)○　(11)×　(12)×　(13)○

19 [ʃ]の発音

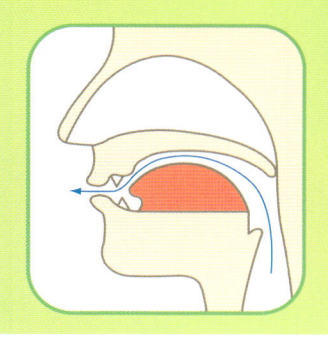

[ʃ]、[ʃ]、[ʃ]、[ʃ]　she [ʃíː] 彼女は
舌の前の部分を上の歯ぐきに近づけて
そのすき間から「シ」と息を出そう

[ʃ] の発音を練習しましょう。

　唇を少し丸めてつき出しましょう。舌の前の部分を上の歯ぐきに近づけて、舌と歯ぐきのすき間から強く「シ」と息を出すと[ʃ]の発音をすることができます。静かにしてほしい時に人差し指を唇の前に立て、「シー」と言う音に似ています。

CD を聞きながら単語の発音練習をしましょう。

CD 2 Track 31

〈[ʃ]で始まる語〉

❶ shake　　[ʃéik]　　～を振る　　❷ sheep　　[ʃíːp]　　　羊
❸ shine　　[ʃáin]　　輝く　　　　❹ shoe　　　[ʃúː]　　　靴
❺ short　　[ʃɔ́ːrt]　　短い　　　　❻ shoulder　[ʃóuldər]　肩
❼ shrimp　[ʃrímp]　　小えび　　　❽ sugar　　[ʃúgər]　　砂糖

〈[ʃ]が中間にある語〉

❾ delicious　[dilíʃəs]　おいしい　　❿ discussion [diskʌ́ʃən]　討論
⓫ machine　[məʃíːn]　機械　　　　⓬ station　　[stéiʃən]　駅

〈[ʃ]で終わる語〉

⓭ cash　　　[kǽʃ]　　現金　　　　⓮ dish　　　[díʃ]　　　皿
⓯ flash　　　[flǽʃ]　　ぱっと光る　⓰ publish　[pʌ́bliʃ]　～を出版する

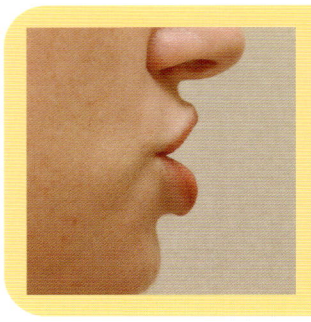

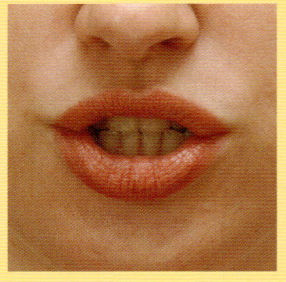

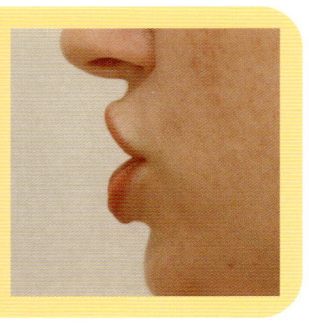

P [s]と[ʃ]の発音を比べてみましょう。

　舌の先を上の歯の裏に近づけて、その間から「ス」と息を出すと[s]の発音になります。舌の前の部分を歯ぐきに近づけて、その間から「シ」と息を出すと[ʃ]の発音をすることができます。

　　　　　　　　[s]　　　　　　　　　　　　　　　　　[ʃ]
⑰ same [séim] 同じ　　　　　shame [ʃéim] 恥ずかしさ
⑱ save [séiv] 〜を救う　　　shave [ʃéiv] ひげをそる
⑲ seat [síːt] 席　　　　　　sheet [ʃíːt] シーツ
⑳ see [síː] 〜が見える　　　she   [ʃíː] 彼女は
㉑ self [sélf] 自己　　　　　shelf [ʃélf] 棚
㉒ sip [síp] 〜を少しずつ飲む ship [ʃíp] 船

[ʃ] の言葉遊びをしましょう。

㉓ **Sheila** gathered **shells.**
　　　　　　シーラは貝を集めました。
㉔ **Sheila** gathered **shining shells.**
　　　　　　シーラは輝いている貝を集めました。
㉕ **Sheila** gathered **shining shells** on the **shore.**
　　　　　　シーラは海岸で輝いている貝を集めました。

[ʃ]の発音とつづり字

基礎1　[ʃ]はふつう sh とつづります。

〈shと書いて[ʃ]と発音する語〉

❶ shape [ʃéip] 形　　❷ shut [ʃʌ́t] 〜を閉める

基礎2　[ʃ]を ci、si、ssi、ti とつづることがあります。

〈ci、si、ssi、tiと書いて[ʃ]と発音する語〉

❸ special [spéʃəl] 特別の　❹ mansion [mǽnʃən] 大邸宅
❺ expression [ikspréʃən] 表現　❻ condition [kəndíʃən] 状態

発展　フランス語からきた次の語などでは、[ʃ]を ch とつづります。

〈chと書いて[ʃ]と発音する語〉

❼ chandelier [ʃǽndəlíər] シャンデリア　❽ chef [ʃéf] コック長

Notes　sugar [ʃúgər シュガァ]（砂糖）と sure [ʃúər シュア]（確かな）の s は[ʃ]と発音します。

CD 2 Track 32

練習問題

各組の単語で下線部の発音が他と違うものを1つ選んでください。

❾　1. short　2. sugar　3. special　4. same
❿　1. delicious　2. dish　3. racket　4. station

答え　(9) 4　(10) 3

20 [ʒ]の発音

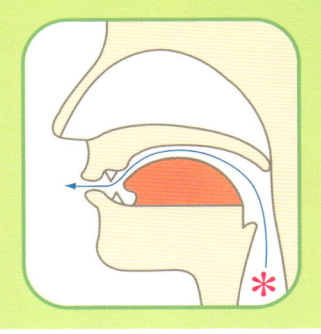

[ʒ]、[ʒ]、[ʒ]、[ʒ] **pleasure** [pléʒər] 楽しみ
舌の前の部分を上の歯ぐきに近づけて
そのすき間から「ジ」と声を出そう

[ʒ] の発音を練習しましょう。

[ʃ]と同じように、唇を少し丸めてつき出しましょう。舌の前の部分を上の歯ぐきに近づけて、舌と歯ぐきのすき間から「ジ」と声を出すと[ʒ]の発音になります。舌の先を歯ぐきにつけないように気をつけましょう。

CD を聞きながら単語の発音練習をしましょう。

CD 2 Track 33

〈[ʒ]が中間にある語〉

❶ casual	[kǽʒuəl]	何気ない	❷ confusion	[kənfjúːʒən]	混乱
❸ decision	[disíʒən]	決定	❹ explosion	[iksplóuʒən]	爆発
❺ invasion	[invéiʒən]	侵入	❻ measure	[méʒər]	〜を測る
❼ occasion	[əkéiʒən]	場合	❽ pleasure	[pléʒər]	楽しみ
❾ revision	[rivíʒən]	改訂	❿ television	[téləvìʒən]	テレビ
⓫ treasure	[tréʒər]	宝物	⓬ usual	[júːʒuəl]	いつもの
⓭ vision	[víʒən]	視力	⓮ visual	[víʒuəl]	視覚の

〈[ʒ]で終わる語〉

⓯ beige [béiʒ] ベージュ　　⓰ rouge [rúːʒ] ほお紅

treasure

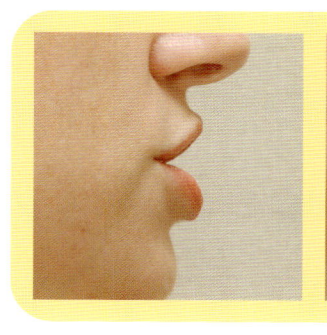

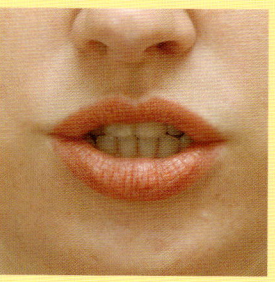

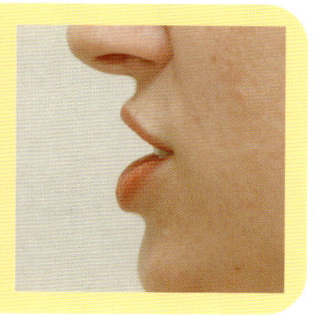

P 動詞と名詞の単語を発音しましょう。

次の各組の上の単語は動詞で、下の単語は[ʒ]の音が含まれた名詞です。[ʒ]は舌の前の部分を歯ぐきに近づけて、舌と歯ぐきの間から「ジ」と発音します。

⑰ conclude [kənklúːd] 〜を終える
conclusion [kənklúːʒən] 結論
⑱ divide [diváid] 〜を分ける
division [divíʒən] 分配
⑲ persuade [pərswéid] 〜を説得する
persuasion [pərswéiʒən] 説得

[ʒ] の言葉遊びをしましょう。

⑳ **I watch television.**
私はテレビを見ます。
㉑ **I usually watch television.**
私はいつもテレビを見ます。
㉒ **I usually watch television with pleasure.**
私はいつも楽しんでテレビを見ます。

CD 2 Track 33

[ʒ]の発音とつづり字

基礎 [ʒ]はふつう s、si とつづります。

〈sと書いて[ʒ]と発音する語〉

❶ casually [kǽʒuəli] 何気なく　❷ measure [méʒər] 〜を測る

〈siと書いて[ʒ]と発音する語〉

❸ occasionally [əkéiʒənəli] ときどき　❹ television [téləvìʒən] テレビ

発展 フランス語からきた次の語などでは、[ʒ]を g とつづります。

〈gと書いて[ʒ]と発音する語〉

❺ corsage [kɔːrsáːʒ] コサージュ（婦人服につける花飾り）
❻ mirage [məráːʒ] 蜃気楼（しんきろう）

練習問題

各組の単語の下線部の発音が同じなら○、違うなら×と答えてください。

❼ { noisy / casual }　❽ { pleasure / television }　❾ { treasure / sure }

❿ { good / beige }　⓫ { usual / slow }　⓬ { occasion / measure }

答え　(7)×　(8)○　(9)×　(10)×　(11)×　(12)○

21 [tʃ]の発音

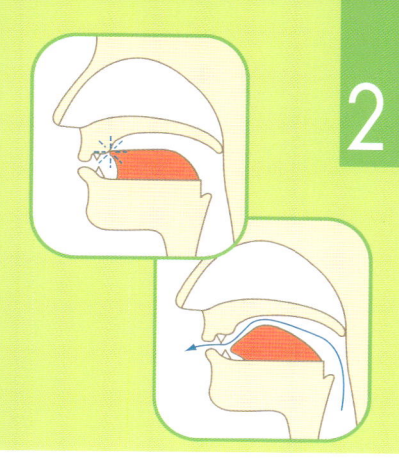

[tʃ]、[tʃ]、[tʃ]、[tʃ]
cheese [tʃíːz] チーズ
舌先を上歯ぐきにつけ
舌を離す時に「チ」と息を出そう

[tʃ]の発音を練習しましょう。

舌の先を上の歯ぐきにつけて、舌を離す時に勢いよく「チ」と息を出して発音します。発音記号は[t]と[ʃ]の2字で表されていますが1つの音です。

CDを聞きながら単語の発音練習をしましょう。

CD 2 Track 35

〈[tʃ]で始まる語〉

❶ chain　　[tʃéin]　くさり
❷ change　[tʃéindʒ]　〜を変える
❸ channel　[tʃǽnl]　チャンネル
❹ cheek　　[tʃíːk]　ほお
❺ cherry　　[tʃéri]　さくらんぼ
❻ chief　　[tʃíːf]　長
❼ chilly　　[tʃíli]　冷え冷えする
❽ Chinese　[tʃàiníːz]　中国人

〈[tʃ]が中間にある語〉

❾ achieve　[ətʃíːv]　〜を成しとげる
❿ culture　　[kʌ́ltʃər]　文化
⓫ picture　　[píktʃər]　写真
⓬ question　[kwéstʃən]　質問

〈[tʃ]で終わる語〉

⓭ bench　　[béntʃ]　ベンチ
⓮ catch　　[kǽtʃ]　〜をつかまえる
⓯ speech　　[spíːtʃ]　演説
⓰ such　　　[sʌ́tʃ]　そのような

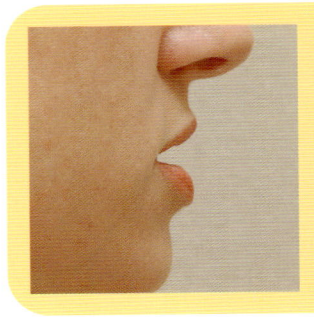

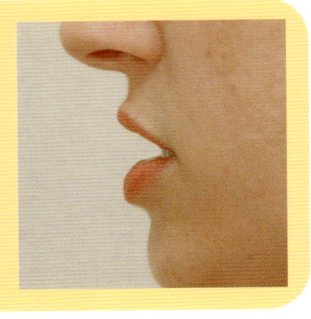

P [ʃ]と[tʃ]の発音を比べてみましょう。

　[ʃ]は舌の前の部分を歯ぐきに近づけて、その間から「シ」と強く息を出して発音します。[tʃ]は舌先を上の歯ぐきにつけて、舌を急に離す時に勢いよく「チ」と息を出します。

	[ʃ]			[tʃ]	
⑰ share	[ʃéər]	〜を分ける	chair	[tʃéər]	いす
⑱ shear	[ʃíər]	〜を刈る	cheer	[tʃíər]	〜を元気づける
⑲ sheep	[ʃíːp]	羊	cheap	[tʃíːp]	安い
⑳ shin	[ʃín]	向こうずね	chin	[tʃín]	下あご
㉑ ship	[ʃíp]	船	chip	[tʃíp]	切れはし
㉒ shop	[ʃáp]	店	chop	[tʃáp]	〜を細かく切る

[tʃ] の言葉遊びをしましょう。

㉓ **Children** ate fried **chicken** and **spinach**.
　　子供たちはフライドチキンとほうれんそうを食べました。
㉔ **Cheerful children** ate fried **chicken** and **spinach**.
　　元気のいい子供たちはフライドチキンとほうれんそうを食べました。
㉕ **Cheerful children** ate fried **chicken** and **spinach** for **lunch**.
　　元気のいい子供たちは昼食にフライドチキンとほうれんそうを食べました。

[tʃ]の発音とつづり字

基礎 [tʃ]はふつう ch、tch とつづります。

〈ch、tch と書いて[tʃ]と発音する語〉

❶ champion [tʃǽmpiən] 優勝者　❷ charming [tʃáːrmiŋ] チャーミングな
❸ pitcher [pítʃər] 水差し　❹ stretch [strétʃ] ～をのばす

発展1 [tʃ]を t とつづることがあります。この場合の t は、弱く発音する母音の前にきます。

〈t と書いて[tʃ]と発音する語〉

❺ adventure [ədvéntʃər] 冒険　❻ creature [kríːtʃər] 生き物

発展2 [tʃ]を ti とつづることもあります。この場合、ti の前に s がきます。

〈ti と書いて[tʃ]と発音する語〉

❼ question [kwéstʃən] 質問　❽ suggestion [sə(g)dʒéstʃən] 提案

練習問題

各組の単語の下線部の発音が同じなら○、違うなら×と答えてください。

❾ { machine / chain }　❿ { speech / catch }　⓫ { station / question }

答え　(9)×　(10)○　(11)×

22 [dʒ]の発音

[dʒ]、[dʒ]、[dʒ]、[dʒ]
jeans [dʒíːnz] ジーンズ
舌先を上歯ぐきにつけ
舌を離す時に「ヂ」と声を出そう

[dʒ]の発音を練習しましょう。

　舌の先を上の歯ぐきにつけて、舌を離す時に「ヂ」と声を出すと[dʒ]の発音になります。stage [stéidʒ]のように[dʒ]で単語が終わる場合、最後に「ィ」の音を強く言わないように気をつけましょう。

CD 2 Track 37

CDを聞きながら単語の発音練習をしましょう。

〈[dʒ]で始まる語〉

① general [dʒénərəl] 一般の　② gentle [dʒéntl] 優しい
③ jacket [dʒǽkit] 上着　④ jam [dʒǽm] ジャム
⑤ January [dʒǽnjuèri] 1月　⑥ jet [dʒét] ジェット機
⑦ junior [dʒúːnjər] 年下の　⑧ just [dʒʌ́st] ちょうど

〈[dʒ]が中間にある語〉

⑨ danger [déindʒər] 危険　⑩ injure [índʒər] 〜を傷つける
⑪ major [méidʒər] 主要な　⑫ subject [sʌ́bdʒikt] 学科

〈[dʒ]で終わる語〉

⑬ arrange [əréindʒ] 〜を整える　⑭ bridge [brídʒ] 橋
⑮ stage [stéidʒ] 舞台　⑯ strange [stréindʒ] 変な

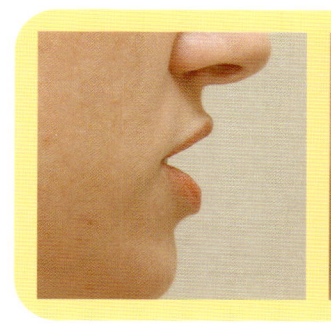

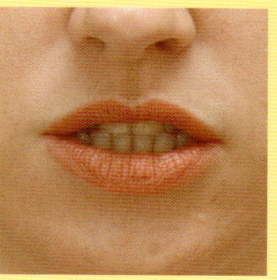

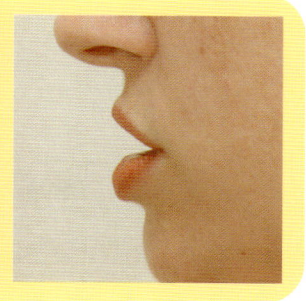

P [tʃ]と[dʒ]が最初と最後にある単語を発音しましょう。

舌の先を上歯ぐきにつけて、舌を離す時に勢いよく「チ」と息を出すと[tʃ]の発音になり、「ヂ」と声を出すと[dʒ]の発音になります。

	[tʃ]			[dʒ]	
⑰ chain	[tʃéin]	くさり	Jane	[dʒéin]	ジェーン（女性の名）
⑱ char	[tʃá:r]	～を炭にする	jar	[dʒá:r]	（広口の）びん
⑲ cheap	[tʃí:p]	安い	jeep	[dʒí:p]	ジープ
⑳ larch	[lá:rtʃ]	からまつ	large	[lá:rdʒ]	広い
㉑ rich	[rítʃ]	金持ちの	ridge	[rídʒ]	山の背
㉒ search	[sə́:rtʃ]	～をさがす	surge	[sə́:rdʒ]	大波

[dʒ]の言葉遊びをしましょう。

㉓ **Jim jumped for joy.**
　　　　ジムはとび上がって喜びました。

㉔ **Jolly Jim jumped for joy.**
　　　　陽気なジムはとび上がって喜びました。

㉕ **Jolly Jim jumped for joy at the joyful news.**
　　　　陽気なジムはうれしい知らせにとび上がって喜びました。

[dʒ]の発音とつづり字

基礎1 [dʒ]はふつう j とつづります。

〈jと書いて[dʒ]と発音する語〉
❶ join [dʒɔ́in] 〜に加わる　❷ jungle [dʒʌ́ŋgl] ジャングル

基礎2 [dʒ]は g ともつづります。

g の後に e、i、y が続く語では、g を[dʒ]と発音することがよくあります。

〈gと書いて[dʒ]と発音する語〉
(g + e)
❸ generous [dʒénərəs] 気前のよい　❹ gesture [dʒéstʃər] 身ぶり
(g + i)
❺ engine [éndʒən] エンジン　❻ giant [dʒáiənt] 巨人
(g + y)
❼ energy [énərdʒi] エネルギー　❽ gym [dʒím] 体育館

例外 get [gét ゲットゥ]（〜を得る）、give [gív ギヴ]（〜を与える）など

基礎3 [dʒ]を dg、dj とつづることもあります。

〈dg、djと書いて[dʒ]と発音する語〉
❾ badge [bǽdʒ] 記章　❿ adjust [ədʒʌ́st] 〜を調節する

Notes procedure [prəsíːdʒər プロスィーヂャァ]（手続き）の d は[dʒ]と発音します。

練習問題

各組の単語の下線部の発音が同じなら○、違うなら×と答えてください。

⑪ { big / stage }   ⑫ { bridge / large }   ⑬ { just / gentle }

答え　(11)×　(12)○　(13)○

---

c の 2 つの発音　[k　クッ] と [s　ス]

◎ c の後に a、o、u や子音字が続いたり、c で単語が終わる場合、ふつう c を [k] と発音します。
◎ c の後に e、i、y が続く語の場合、ふつう c を [s] と発音します。
◎ [k] と発音する c は「かたい c」、そして [s] と発音する c は「やわらかい c」と呼ばれています。

g の 2 つの発音　[g　グッ] と [dʒ　ヂ]

◎ g の後に a、o、u や子音字が続いたり、g で単語が終わる場合は、ふつう g を [g] と発音します。
◎ g の後に e、i、y が続く語では、g を [dʒ] と発音することがよくあります。
例外 begin [bigín　ビギン]（始まる）、girl [gə́:rl　ガール]（少女）など
◎ [g] と発音する g は「かたい g」、そして [dʒ] と発音する g は「やわらかい g」と呼ばれています。

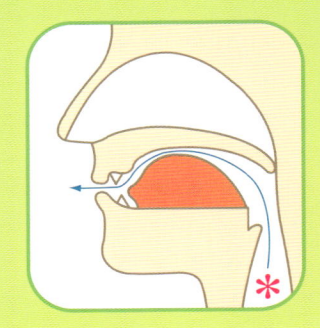

23 [j]の発音

[j]、[j]、[j]、[j] yes [jés] はい
舌の中央を上あごに近づけ
舌に力を入れて「イ」と言ってみよう

[j] の発音を練習しましょう。

日本語の「ヤ」を発音し始める時の口の形で、舌の中央を上あごにふれるくらい近づけます。舌に力を入れて、舌と上あごのすき間から「イ」と発音しましょう。

CDを聞きながら単語の発音練習をしましょう。

〈[j]で始まる語〉

1. yacht [ját] ヨット
2. yard [já:rd] 庭
3. yarn [já:rn] 織り糸
4. yawn [jɔ́:n] あくび
5. year [jíər] 年
6. yellow [jélou] 黄色の
7. yen [jén] 円
8. yesterday [jéstərdèi] きのう
9. yet [jét] (否定文で)まだ(~ない)
10. yield [jí:ld] ~を産する
11. yolk [jóuk] (卵の)黄身
12. young [jʌ́ŋ] 若い

〈[j]が中間にある語〉

13. familiar [fəmíljər] よく知られた
14. million [míljən] 100万
15. onion [ʌ́njən] 玉ねぎ
16. opinion [əpínjən] 意見

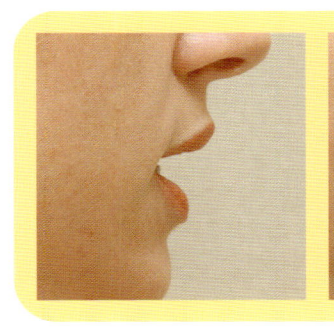

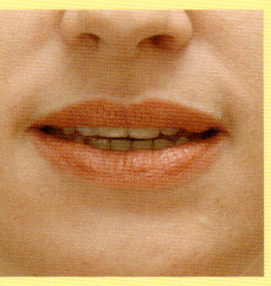

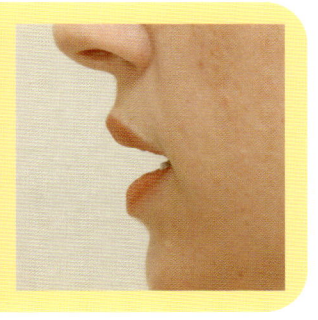

P [j]を加えた単語の発音を練習しましょう。

下記の右側の単語は、左側の単語の初めに[j]を加えたものです。[j]の音が加わると単語の意味が変わりますので、発音の違いに注意しましょう。

⑰ ear   [íər]   耳   year   [jíər]   年
⑱ earn [ə́:rn] ～をかせぐ   yearn   [jə́:rn] あこがれる
⑲ east [í:st] 東   yeast   [jí:st] イースト
⑳ L   [él]   エル   yell   [jél]   大声で叫ぶ
㉑ S   [és]   エス   yes   [jés]   はい

[j]の言葉遊びをしましょう。

㉒ **Mr. Young made yogurt.**
　　　　　ヤングさんはヨーグルトを作りました。
㉓ **Mr. Young made yummy yogurt.**
　　　　　ヤングさんはおいしいヨーグルトを作りました。
㉔ **Mr. Young made yummy yogurt yesterday.**
　　　　　ヤングさんはきのうおいしいヨーグルトを作りました。

[j]の発音とつづり字

基礎1 [j]はふつうyとつづります。

〈yと書いて[j]と発音する語〉
1. backyard [bǽkjá:rd] 裏庭
2. canyon [kǽnjən] 峡谷
3. yam [jǽm] さつまいも
4. yearbook [jíərbùk] 年鑑

基礎2 [j]をiとつづることもあります。

〈iと書いて[j]と発音する語〉
5. brilliant [bríljənt] 光り輝く
6. companion [kəmpǽnjən] 仲間
7. Italian [itǽljən] イタリア人
8. onion [ʌ́njən] 玉ねぎ

CD 2 Track 40

練習問題

各組の単語の下線部の発音が同じなら○、違うなら×と答えてください。

9. { year / my }
10. { yard / yet }
11. { gym / yes }
12. { dry / yield }
13. { million / yellow }
14. { young / sky }

答え　（9）×　（10）○　（11）×　（12）×　（13）○　（14）×

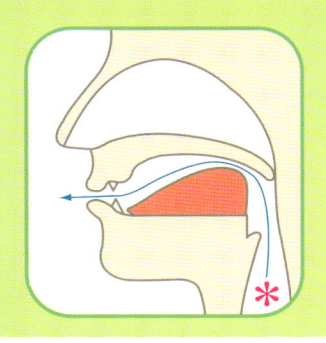

24 [w]の発音

[w]、[w]、[w]、[w] **west** [wést] 西
唇をつき出して、もとにもどしながら「ウ」と発音しよう

[w]の発音を練習しましょう。

丸めて前につき出した唇を急にもとにもどしながら「ウ」と言うと、[w]の発音をすることができます。

CDを聞きながら単語の発音練習をしましょう。

〈[w]で始まる語〉

❶ wall [wɔ́ːl] かべ
❷ waste [wéist] 〜をむだに使う
❸ way [wéi] 方法
❹ welcome [wélkəm] ようこそ
❺ wild [wáild] 野生の
❻ wise [wáiz] 賢い
❼ wish [wíʃ] 〜を望む
❽ without [wiðáut] 〜なしで
❾ wonder [wʌ́ndər] 驚く
❿ worth [wə́ːrθ] 〜の価値がある

〈[w]が中間にある語〉

⓫ between [bitwíːn] 〜の間に
⓬ language [lǽŋgwidʒ] 言語
⓭ quick [kwík] 速い
⓮ sweater [swétər] セーター
⓯ sweet [swíːt] 甘い
⓰ twenty [twénti] 20

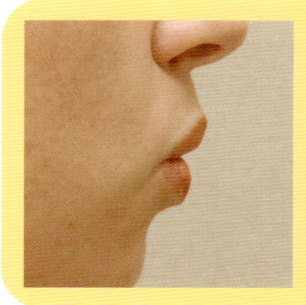

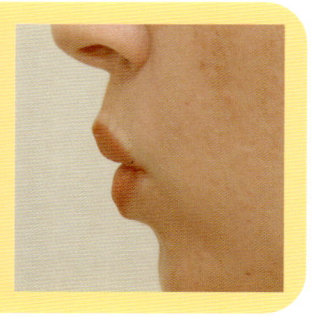

P ［w］を加えた単語の発音を練習しましょう。

　下記の右側の単語は、左側の単語の初めに［w］の音を加えたものです。［w］の音が加わると単語の意味が変わりますので、［w］をはっきりと発音しましょう。

⑰ all　　[ɔ́:l]　　すべての　　　　wall　[wɔ́:l]　　かべ
⑱ eight　[éit]　　8　　　　　　　 wait　[wéit]　　待つ
⑲ ill　　 [íl]　　 病気で　　　　　 will　 [wíl]　　 ～でしょう
⑳ in　　 [ín]　　 ～の中に　　　　 win　 [wín]　　 勝つ
㉑ ink　　[íŋk]　　インク　　　　　wink　[wíŋk]　　ウィンクする

［w］の言葉遊びをしましょう。

㉒ **twelve wonderful swans**
　　　　　　12羽のすばらしい白鳥
㉓ **Twelve wonderful swans were swimming.**
　　　　　　12羽のすばらしい白鳥が泳いでいました。
㉔ **Twelve wonderful swans were swimming in the winter water.**
　　　　　　12羽のすばらしい白鳥が冬の湖を泳いでいました。

[w]の発音とつづり字

基礎1 [w]はふつう w とつづります。

〈wと書いて[w]と発音する語〉

❶ walnut [wɔ́:lnʌ̀t] くるみ　　❷ wipe [wáip] 〜をふく

基礎2 qu の u はふつう[w]と発音します。

〈quのuを[w]と発音する語〉

❸ equal [í:kwəl] 等しい　　❹ quickly [kwíkli] 速く

発展 gu の u を[w]と発音することがよくあります。

〈guのuを[w]と発音する語〉

❺ distinguish [distíŋgwiʃ] 〜を区別する
❻ language [lǽŋgwidʒ] 言語

Notes one [wʌ́n　ワン] (1) と once [wʌ́ns　ワンス] (1度) の o は例外的に [wʌ　ワ] と発音します。

CD 2 Track 42

練習問題

各組の単語の下線部の発音が同じなら○、違うなら×と答えてください。

❼ { wish / quick }　　❽ { wall / write }　　❾ { language / between }

答え　(7)○　(8)×　(9)○

黙字の表

黙字とは発音しない文字のことです。次に黙字を含む単語の例を挙げます。

a	metal	[métl]	金属
b	comb	[kóum]	くし
c	muscle	[mʌ́sl]	筋肉
d	Wednesday	[wénzdèi]	水曜日
e	like	[láik]	〜を好む
g	design	[dizáin]	デザイン
gh	light	[láit]	光
h	hour	[áuər]	1時間
i	cousin	[kʌ́zn]	いとこ
k	knee	[níː]	ひざ
l	half	[hǽf]	半分
n	autumn	[ɔ́ːtəm]	秋

o	button	[bʌ́tn]	ボタン
p	receipt	[risíːt]	領収書
s	island	[áilənd]	島
t	listen	[lísn]	聞く
u	guest	[gést]	客
w	write	[ráit]	〜を書く

表紙の会話

Emi : **I like your hat.**
　　　私、あなたの帽子が気に入ったわ。

Tom : **A hut ?**
　　　小屋？

　　　Where is it ?
　　　どこにあるの。

Emi : **On your head !**
　　　あなたの頭の上よ。

Tom : **Oh, you mean a hat.**
　　　ああ、帽子のことを言っているんだね。

　トムのかぶっている帽子を見て、I like your hat.（私、あなたの帽子が気に入ったわ）と絵美が言ったら、トムに A hut ?（小屋？）Where is it ?（どこにあるの）と聞き返されてしまいました。絵美の hat [hæt]（（ふちのある）帽子）の発音がトムには hut [hʌt]（小屋）と聞こえたようです。
hat と hut の発音をカタカナで書くと両方とも「ハットゥ」なので、hat [hæt] と言ったつもりでも、まちがえて hut [hʌt] と発音してしまうことがよくあります。hat [hæt] の [æ] と hut [hʌt] の [ʌ] の違いをはっきりと区別して発音しましょう。

● 著者

鷲見由理（すみ　ゆり）
フェリス女学院大学文学部英文科卒業。高等学校教諭を経て、上智大学大学院国際学部で学ぶ。ホーリーネイムズ大学大学院教育学科修士課程修了。ジョージタウン大学大学院言語学科修士課程修了。「ハローワールド」（学習研究社）の元ランゲージディレクター。著者に「CD付きホームステイに役立つ英会話100」（ナツメ社）がある。

- CD録音／DVD制作　　　中録サービス（株）
- DVD制作協力　　　　　久保公
- 写真撮影　　　　　　　星野秀夫
- イラスト　　　　　　　内藤しなこ　中野サトミ
- 本文デザイン　　　　　内藤しなこ
- 編集協力　　　　　　　（株）文研ユニオン
- 編集担当　　　　　　　ナツメ出版企画（株）　斉藤正幸　澤幡明子

ナツメ社Webサイト
http://www.natsume.co.jp
書籍の最新情報（正誤情報を含む）はナツメ社Webサイトをご覧ください。

DVD&CDでマスター　英語の発音が正しくなる本

2013年 1月10日発行

著　者	鷲見由理（すみ　ゆり）	©Sumi Yuri 2008
発行者	田村正隆	

発行所　株式会社ナツメ社
　　　　東京都千代田区神田神保町1-52ナツメ社ビル1F（〒101-0051）
　　　　電話　03(3291)1257（代表）　　FAX　03(3291)5761
　　　　振替　00130-1-58661

制　作　ナツメ出版企画株式会社
　　　　東京都千代田区神田神保町1-52ナツメ社ビル3F（〒101-0051）
　　　　電話　03(3295)3921（代表）

印刷所　図書印刷株式会社

ISBN978-4-8163-4464-0　　　　　　　　　Printed in Japan

〈価格はカバーに表示してあります〉
〈落丁・乱丁本はお取り替えいたします〉

本書の一部または全部を著作権法で定められている範囲を超え、ナツメ出版企画株式会社に無断で複写、複製、転載、データファイル化することを禁じます。